Antoine Mayer

D0267476

© Hachette Livre, 2012.
Écrit par Michel Leydier.
Conception graphique du roman : Audrey Thierry.

Hachette Livre, 43, quai de Grenelle, 75015 Paris.

AVENTURES · SUR · MESURE

CLUEDO

Monsieur Moutarde

hachette
JEUNESSE

COMMENT LIRE CE LIVRE ?

10

M adame Leblanc est convaincue qu'on n'emploie plus d'arme blanche de nos jours pour commettre un crime.

— Croyez-moi ! dit-elle. Je regarde toutes les séries policières à la télé et on ne voit plus de meurtre au poignard. Les scénaristes s'appuient sur des réalités, ils n'inventent rien.

Les choses sont-elles aussi simples ?

Si tu penses comme Madame Leblanc, va au 75.

Si tu n'es pas de son avis, va au 22.

LES CHOIX

À CHAQUE FIN DE CHAPITRE, CE VISUEL T'INDIQUE OÙ CONTINUER TA LECTURE. S'IL ANNONCE « VA AU 15 », TU DEVRAS CHERCHER LE CHAPITRE 15 POUR POURSUIVRE TON AVENTURE. ATTENTION, PARFOIS, PLUSIEURS CHOIX TE SONT PROPOSÉS... À TOI DE FAIRE LE BON !

L e docteur Lenoir est une vieille connaissance. Il habite une magnifique villa, ultramoderne, dans laquelle il donne souvent des réceptions.

Aujourd'hui, tu reçois un coup de fil de sa part.

— *Bonjour, Monsieur Moutarde. J'ai convié quelques amis à dîner ce soir. Vous joindrez-vous à nous ?*

— Ça tombe bien, réponds-tu, je devais prendre un avion pour Glasgow afin d'y commenter un match de rugby, mais la rencontre vient d'être annulée à cause du temps : il y a une tempête en Écosse !

— *Parfait, nous ferez-vous donc l'honneur de votre présence ?*

— Avec joie !

Tu fais alors preuve de diplomatie et lui demandes poliment quels sont les autres convives, car tu t'es déjà ennuyé au cours de ses soirées.

— *Eh bien*, répond Lenoir, *Mesdames Pervenche et Leblanc seront de la partie... Monsieur Olive m'a promis de faire son possible pour être des nôtres... J'attends une réponse de Monsieur Violet, quant à Mademoiselle Rose, elle ne répond pas pour l'instant...*

LES CHAPITRES
POUR REPÉRER LES CHAPITRES, CHERCHE LES NUMÉROS COMME CELUI-CI. ILS APPARAISSENT EN HAUT DE PAGE.

INVITATION

Cher Monsieur Moutarde,

J'organise le 19 janvier un petit dîner entre amis.
Je meurs d'impatience de vous voir !

Docteur Lenoir

Tu viens de retrouver ce carton
d'invitation de ton ami le docteur Lenoir.
Ça tombe bien : tu devais travailler ce soir,
mais à cause du mauvais temps, le match
a été annulé. Tu te prépares à une soirée
qui sera mortelle, tu en es sûr…

Monsieur Moutarde
C'est toi !

Ancien rugbyman professionnel, tu t'es reconverti en tant que commentateur sportif. Autant dire que tu es un homme de terrain !

Tu analyses vite s'il faut la jouer perso ou en équipe, et tu ne perds jamais de vue le but ultime : remporter la partie.

Fin stratège, tu ne crains cependant pas d'entrer dans la mêlée. La question est : sauras-tu en sortir sans trop de dégâts ?

À toi de jouer !

Madame Pervenche

Madame Pervenche est issue d'une famille aisée, et ça se voit ! Avoir de bonnes manières semble être la condition *sine qua none* pour qu'elle vous respecte. Mais que cache-t-elle sous ses airs guindés ?

Monsieur Olive

Monsieur Olive a le chic pour toujours se trouver à l'endroit hype du moment. Même les stars doivent se demander comment il fait pour toujours avoir une longueur d'avance sur tout le monde !

Madame Leblanc

Madame Leblanc aime jouer par-dessus tout :
elle est persuadée de pouvoir
endosser n'importe quel rôle...
pourvu qu'il la mette en valeur !

Monsieur Violet

Monsieur Violet est un petit génie. Mais le
problème, avec les scientifiques, c'est qu'ils
se croient parfois au-dessus du commun
des mortels...

Mademoiselle Rose

Mademoiselle Rose est sublime. C'est simple, elle
pourrait être top-modèle ! L'ennui, avec les jolies
femmes, c'est qu'elles doivent se battre pour prouver
qu'elles sont autre chose qu'un physique...

SALON

JARDIN

GARAGE

LES PIÈCES DE LA VILLA

La villa du docteur Lenoir est grandiose !
Cuisine, salon, bureau, chambre,
salle de jeux… pour explorer le moindre
recoin de cette immense maison,
une vie entière ne suffirait pas !

LES ARMES DU CRIME

La corde

Le pistolet

Le tuyau

La clef à molette

Le poignard

Le chandelier

Qui n'a jamais rêvé d'enquêter sur un crime ?

Toi qui dévores les romans policiers, qui t'amuses à découvrir le coupable d'une série policière avant tout le monde, tu vas enfin pouvoir mener ta propre enquête !

En participant à cette aventure Cluedo, toi, Monsieur Moutarde, tu devras élucider un meurtre. Pour cela, il te faudra faire preuve d'intelligence, de psychologie et de perspicacité. Tu vas avoir pour lourde tâche de découvrir l'identité du coupable et l'arme qu'il a utilisée.

Si tu ne tournes pas de l'œil à la vue d'une goutte de sang et ne crains pas de tomber sur un cadavre, tourne la page...

Le docteur Lenoir est une vieille connaissance. Il habite une magnifique villa, ultramoderne, dans laquelle il donne souvent des réceptions.

Aujourd'hui, tu reçois un coup de fil de sa part.

— *Bonjour, Monsieur Moutarde. J'ai convié quelques amis à dîner ce soir. Vous joindrez-vous à nous ?*

— Ça tombe bien, réponds-tu, je devais prendre un avion pour Glasgow afin d'y commenter un match de rugby, mais la rencontre vient d'être annulée à cause du temps : il y a une tempête en Écosse !

— *Parfait, nous ferez-vous donc l'honneur de votre présence ?*

— Avec joie !

Tu fais alors preuve de diplomatie et lui demandes poliment quels sont les autres convives, car tu t'es déjà ennuyé au cours de ses soirées.

— *Eh bien*, répond Lenoir, *Mesdames Pervenche et Leblanc seront de la partie... Monsieur Olive m'a promis de faire son possible pour être des nôtres... J'attends une réponse de Monsieur Violet, quant à Mademoiselle Rose, elle ne répond pas pour l'instant...*

Tu as croisé toutes ces personnes de nombreuses fois et te voilà rassuré.

— Très agréable soirée en perspective ! le flattes-tu.

Tu raccroches et regardes l'heure : 18 h 14. Ton bureau est recouvert de paperasses, de notes et de pense-bêtes. Ton ordinateur est allumé, le début de ton livre apparaît à l'écran. Tu t'es promis d'écrire tes souvenirs de champion de rugby, mais tu en baves... Plus facile de plaquer un joueur en pleine course que de trouver les mots justes pour décrire tes émotions !

Ce dîner chez le docteur Lenoir te changera les idées...

 Prends ta voiture pour te rendre au 2.

Il est précisément 20 heures et il neige à gros flocons lorsque tu gares ton coupé BMW sur le parking du docteur Lenoir.

De toute évidence, tu arrives le dernier : cinq voitures sont alignées aux côtés de la rutilante Rover du maître des lieux. Tu reconnais la Porsche de Monsieur Violet, la Bentley couleur crème de Monsieur Olive, l'antique Aston Martin de Madame Leblanc, ainsi que la Mini Cooper intérieur cuir de Mademoiselle Rose. Tu en déduis que l'élégante Mercedes qui complète la collection appartient à Madame Pervenche.

Le temps de courir jusqu'au perron et une pellicule blanche recouvre tes cheveux. Le costume que tu es allé chercher au pressing avant de venir est parsemé de flocons. La neige fondue dégouline dans ton cou... La soirée commence bien !

Tu sonnes.

Rien ne se passe.

Tu re-sonnes.

Toujours rien.

Tu t'impatientes et maintiens ton doigt appuyé sur le bouton électronique.

La porte s'ouvre enfin. Mademoiselle Rose apparaît.

— C'est terrible ! s'exclame-t-elle.

Puis elle fait demi-tour et te laisse en plan sur le seuil de la villa.

Tu te demandes si tu n'aurais pas mieux fait de profiter de cette soirée pour travailler à ton manuscrit, mais ta curiosité est piquée : il se passe quelque chose d'étrange chez le docteur...

Tu refermes la porte derrière toi et pénètres dans le hall de la villa. Pas un bruit, personne. Décidément, le docteur Lenoir t'a habitué à des accueils plus chaleureux !

Tu pourrais croire à une farce, bien que ça ne soit pas trop le genre de la maison, mais la tête que faisait Mademoiselle Rose sur le pas de la porte te pousse à écarter cette hypothèse. Que faire ?

— Docteur ? appelles-tu.

Tu n'obtiens aucune réponse.

— Mademoiselle Rose ?

Face au silence inquiétant qui règne sur la villa, tu entreprends de faire le tour du propriétaire afin de découvrir où se cachent ton hôte et ses autres invités.

La salle à manger est vide. Sept couverts y sont dressés, mais pas l'ombre d'un convive attablé. Le bureau est tout aussi désert, de même que le spa où un jacuzzi bouillonne sans avoir trouvé d'amateur pour se glisser dans ses remous. Tu es tenté de t'y réchauffer, mais te ravises rapidement : ça ne se fait pas ! Du moins, pas avant d'avoir salué ton hôte…

Le patio est plongé dans le noir et il ne s'y trouve pas âme qui vive – en dehors de quelques limaces peu impressionnées par le froid et la neige.

La salle de projection baigne dans la même obscurité. Par acquit de conscience, tu appuies sur l'interrupteur. Pour rien : l'écran est noir, et les fauteuils rouges inoccupés.

Tu traverses un couloir pour pénétrer dans la cuisine. Une agréable odeur vient chatouiller tes narines. Tu approches de la gazinière, soulèves un couvercle et humes… Mais tu n'as pas le nez assez fin pour définir ce dont il s'agit et, surtout, tu as mieux à faire !

En sortant, tu pousses la porte de la piscine couverte, mais il faut croire que la météo n'a pas incité tes amis à apporter leur maillot de bain.

Puis tu jettes un œil dans l'observatoire où tu n'observes rien de particulier.

Il te reste à visiter la chambre d'amis et le salon. Tu commences par ce dernier car c'est la pièce la plus proche. Tu pousses la lourde porte en acajou et tu regrettes, pour de bon cette fois, de ne pas être resté chez toi ce soir !

 Pour découvrir ce qui se cache dans cette pièce, rendez-vous au 3.

Tu pénètres lentement dans le salon plongé dans le silence. Cinq personnes sont là, assises sur un fauteuil ou un canapé, ou à faire les cent pas. Aucune ne remarque ta présence, ou, plus précisément, ne réagit à ton entrée dans la pièce.

— Qu'est-ce qui se passe ici ? demandes-tu, de plus en plus intrigué.

Tu dévisages Madame Leblanc, Monsieur Olive, Mademoiselle Rose, Madame Pervenche et Monsieur Violet, mais tous évitent ton regard.

— Où est le docteur Lenoir ?

Ils s'examinent les uns les autres, comme pour désigner celui à qui reviendra la corvée de te répondre.

— Alors ? insistes-tu. Où est-il ? Vous allez parler ?

Madame Leblanc semble se décider. D'une manière très théâtrale, elle se lève de son fauteuil, ajuste ses cheveux et dirige lentement son regard vers toi. Elle prend tellement son temps qu'on pourrait penser qu'elle attend le feu vert d'un réalisateur pour envoyer sa réplique. Mais il n'y a pas de caméra dans la pièce.

— Le docteur a été tué ! lâche-t-elle d'une voix étranglée.

— Vous voulez dire qu'il est mort ? demandes-tu, abasourdi.

— On ne peut rien vous cacher, rétorque-t-elle. Se faire tuer entraîne généralement la mort, Monsieur Moutarde.

Tu pourrais mal prendre ce commentaire ironique de Madame Leblanc mais tu es sous le choc. Désormais, vous êtes six à faire des têtes d'enterrement, bien que la date des obsèques ne soit pas encore fixée.

Messieurs Olive et Violet fixent le bout de leurs chaussures d'un air lugubre, Mademoiselle Rose essuie les larmes qui coulent le long de ses joues, ruinant son maquillage. Madame Pervenche tente de refouler les sanglots que son éducation lui interdit de laisser s'échapper, tandis que Madame Leblanc reste plantée devant toi, sans doute dans l'attente de nouvelles directives d'un metteur en scène imaginaire. Quant à toi, tu encaisses l'information comme un coup de poing en pleine figure. Tu ne te sens pas très bien et éprouves le besoin de t'asseoir.

— C'est incroyable ! murmures-tu en te posant sur une chaise.

Tu aimais bien ce cher docteur Lenoir et tu le regrettes déjà. Vous n'étiez pas les meilleurs amis du monde et ne vous fréquentiez pas tant que ça, c'est vrai, pourtant tu appréciais cet homme aux nombreuses qualités.

Lorsque tu surmontes ton émotion et retrouves tes esprits, mille questions se posent alors à toi. L'une d'elles te brûle les lèvres.

— Qui l'a tué ? interroges-tu.

Un silence s'installe avant que Monsieur Violet ne se décide à te répondre.

— Si seulement on le savait...

— Il était déjà mort quand vous êtes arrivés ?

— Non.

— Vous voulez dire que vous l'avez tous vu vivant et puis, pouf ! Il est mort ? Vous avez tous tourné le dos en même temps et quelqu'un l'a tué à ce moment-là ?

Madame Pervenche a un petit rire nerveux.

— Non ! Le docteur Lenoir nous a accueillis ici. Puis il s'est absenté un instant. Comme il tardait à revenir, Madame Leblanc et moi-même sommes parties à sa recherche. Nous l'avons découvert mort dans sa chambre.

— Et qu'avez-vous fait ? demandes-tu.

— Nous avons appelé les autres. Qu'auriez-vous fait à notre place ?

— Vous avez raison. Et ?

— Nous nous sommes rendus à l'évidence, reprend Monsieur Olive. Le docteur était bien mort.

— Comment pouvez-vous en être si sûrs ?

Madame Pervenche te lance un regard légèrement méprisant.

— Lorsqu'un homme ne respire plus et que son pouls ne bat plus, cela signifie qu'il est mort, Monsieur Moutarde. Si, en outre, il y a du sang sur lui et autour de lui, on peut légitimement penser qu'il a été assassiné.

Tu réalises que tes questions ne sont pas toutes d'une grande pertinence. On ne peut pas être au top de sa forme tous les jours et il faut dire que l'annonce de la mort du docteur a été un choc ! Mais tu dois te ressaisir.

— J'aimerais voir le docteur Lenoir une dernière fois, déclares-tu d'un ton solennel.

— Impossible ! répond Monsieur Olive, comme si tu avais demandé à rencontrer le Père Noël.

Pour savoir pourquoi tu ne peux pas voir le corps du docteur Lenoir, rends-toi au 4.

La raison pour laquelle tu ne peux pas voir le corps du docteur Lenoir est très simple.

Lorsque tes amis ont réalisé qu'un meurtre avait été commis, ils ont immédiatement appelé la police. On leur a répondu qu'un inspecteur et un médecin légiste viendraient dès que possible, mais on leur a cependant précisé qu'en raison de la météo, les effectifs étaient extrêmement réduits. En outre, la neige qui tombait sans discontinuer rendait les déplacements de plus en plus compliqués.

— Ça n'explique pas pourquoi je ne peux pas voir Monsieur Lenoir ! t'exclames-tu.

— Ils ont aussi insisté sur le fait qu'il ne fallait surtout toucher à rien, te répond Monsieur Olive.

— Ils ont dit : « Fermez la pièce où se trouve le corps et n'y retournez sous aucun prétexte ! » ajoute Madame Pervenche.

Tu n'es pas idiot. Tu as vu suffisamment de films policiers pour savoir que la scène du crime doit rester intacte pour faciliter le travail de la police scientifique. D'infimes indices, qui pourraient se révéler déterminants pour l'enquête, risqueraient de disparaître ou d'être rendus inexploitables.

— La police a ajouté autre chose, poursuit Madame Pervenche : « Toutes les personnes présentes au moment du meurtre ne doivent en aucun cas quitter la villa, et demeurer à la disposition des enquêteurs. »

La situation est critique : tu es venu passer une agréable soirée avec des amis et tu te retrouves bloqué dans une villa en présence d'un assassin.

Tu as un objectif majeur : sauver ta peau.

Pour cela, il te faut identifier l'auteur du meurtre du docteur Lenoir. On ne se protège que de ce qu'on connaît.

Si tu décides de faire cavalier seul et d'enquêter secrètement, va au 53.

Si tu penses que t'isoler n'est pas la bonne solution et préfères enquêter en toute transparence, va au 64.

Tu laisses s'écouler une bonne minute avant d'agir. Les bruits de pas s'éloignent progressivement. Tu entends une porte grincer, puis le silence revient. Totalement.

Tu t'approches alors de l'endroit où se tenait le tueur lorsqu'il parlait au téléphone. Il y a comme un élargissement du couloir. Tu poses tes mains contre les murs jusqu'à ce que tu trouves un interrupteur. Une ampoule pendue au plafond éclaire aussitôt les lieux.

C'est bien ça : d'un côté du couloir, le mur décroche sur deux ou trois mètres. Dans ce renfoncement, il y a une sorte de commode et une porte qui mène à une pièce.

L'assassin du docteur n'est pas venu là par hasard pour passer son appel. Tu ouvres les tiroirs les uns après les autres. Le quatrième est le bon : le poignard est là ! Avec sa lame couverte de sang…

Tu es pris d'un vertige. La vue de l'arme qui a causé la mort de Lenoir te secoue. Mais tu te ressaisis vite et ton premier réflexe est de tendre la main pour t'emparer de l'arme afin de mieux l'observer. Pourtant, au dernier moment, tu te ravises, figeant ton geste lorsque tes doigts ne sont plus qu'à quelques centimètres du manche.

 Va vite au 20.

Ça fait près d'un quart d'heure que tu patientes dans le bureau et tu commences vraiment à trouver le temps long.

De drôles de pensées t'effleurent l'esprit : Madame Leblanc ne serait-elle pas en train de te doubler ? T'aurait-elle menti depuis le début ? Est-il possible que ce soit elle la coupable ?

Tu es arrivé le dernier à la villa, ce soir. Et si on te faisait une gigantesque farce, de mauvais goût, tu le reconnais ? Et si le docteur était encore bien vivant ? Après tout, tu n'as pas vu son corps...

La porte s'ouvre, interrompant brusquement tes cogitations. Madame Leblanc et Monsieur Olive entrent dans le bureau, la mine réjouie.

— Monsieur Olive, répétez à Monsieur Moutarde ce que vous venez de me révéler ! s'écrie ta partenaire.

Monsieur Olive te regarde, dans les yeux, cette fois.

— Le docteur Lenoir venait de m'engager pour remplir une mission : je devais enquêter sur son associé, qu'il soupçonnait de malhonnêteté.

— Enquêter ? Ce n'est pas votre métier, que je sache, réponds-tu avec une bonne dose d'ironie. Enfin, je suppose que la jet-set mène à tout...

— Ce n'est pas le vôtre non plus, Monsieur Moutarde, te répond-il du tac au tac. Et je pourrais en dire autant du rugby !

Un partout !

Tu cesses de jouer au plus malin et te concentres sur l'enquête.

— Et qui est ce mystérieux associé ? reprends-tu.

— Le docteur devait me donner toutes les informations le concernant ce soir. Nous devions avoir une conversation privée au cours de la soirée. Hélas, il a été tué avant. Tout ce qu'il m'a dit, c'est qu'il s'agit d'un homme.

Madame Leblanc te fixe en souriant.

Tu réalises alors que la partie est gagnée. Ou presque. Mademoiselle Rose est écartée et il ne reste plus qu'un seul suspect, qui est donc forcément le coupable.

— Monsieur Violet ! Qui l'eût cru ? dis-tu en prenant un air inspiré.

 Fonce au 96.

Juste avant d'entrer dans le salon, Madame Leblanc te retient par la manche de ton gilet.

— J'ai une idée, s'exclame-t-elle. J'ai lu un roman policier passionnant le mois dernier. L'inspecteur prétendait que sa méthode était infaillible et il le prouvait : lors de ses interrogatoires, il prêchait systématiquement le faux pour savoir le vrai.

Tu n'es pas totalement convaincu, mais pourquoi ne pas essayer ?

Tu lui adresses un clin d'œil pseudo-complice et vous entrez. Vous vous asseyez sur le canapé et vous fondez dans l'ambiance en discutant à voix basse de choses anodines. Bref, vous vous faites oublier.

—Alors ? Ce claquement de porte ? demande finalement Monsieur Olive. Qui était-ce ?

— Le majordome, réponds-tu. Il revenait de l'épicerie.

— Tiens ! Je ne savais pas qu'il était sorti.

Tu repenses à ce que t'a conseillé Madame Leblanc et sautes sur l'occasion.

—Ce n'est pas ce qu'il m'a dit ! improvises-tu.

Monsieur Olive semble surpris.

— Ah bon ? s'étonne-t-il.

— Il prétend que vous vous rendiez avec le docteur Lenoir dans sa chambre à coucher au moment où il partait.

Madame Leblanc lève les yeux au ciel. On dirait qu'elle n'approuve pas du tout ton initiative.

— Vous dites n'importe quoi, Monsieur Moutarde ! lance Monsieur Olive. Je n'ai pas quitté ce salon depuis que je suis arrivé. Demandez autour de vous, vous verrez bien !

Il se tourne vers Madame Leblanc.

— Dites-le-lui, je vous en prie.

Madame Leblanc hoche la tête pour confirmer les dires de Monsieur Olive.

D'un seul coup, tu te sens penaud.

— Je vous demande pardon, Monsieur Olive, j'ai dû comprendre de travers...

Tu rentres ta tête dans les épaules et te fais tout petit sur ton canapé en attendant que la tension retombe.

 Va au 18.

Quelques minutes plus tard, Monsieur Olive a refermé les yeux. Mais tu es sûr que, cette fois, il a basculé dans un profond sommeil. Alors tu en profites pour tout raconter aux autres.

Monsieur Violet n'est toujours pas revenu des toilettes, mais Mesdames Pervenche et Leblanc et Mademoiselle Rose sont pendues à tes lèvres.

— Ma conclusion est que Monsieur Olive est le seul assassin possible du docteur ! déclares-tu fièrement. Et je viens de lui faire avaler des somnifères à son insu pour qu'il se tienne tranquille jusqu'à l'arrivée de la police.

Tu t'attends à des applaudissements. Au lieu de ça, les trois amies du docteur te lancent des regards réprobateurs.

— J'étais avec Monsieur Olive ici même pendant ce coup de téléphone à la cave dont vous parlez, t'annonce Madame Leblanc.

— Nous étions en conversation tous les deux au moment du crime, renchérit Mademoiselle Rose.

— Son téléphone est à court de batterie depuis plus d'une heure, ajoute Madame Pervenche. Il était assis à côté de moi lorsqu'il s'est éteint...

Tu te sens humilié. Tu croyais épater la galerie, mais tu t'es ridiculisé. Pourtant, ce n'est pas ce qui te chagrine le plus : tu trouves que l'absence de Monsieur Violet traîne en longueur. Tu te précipites aux toilettes : il n'y est pas. Tu sors sur le perron de la villa : la Porsche a disparu.

En revanche, d'autres voitures arrivent, avec des gyrophares sur le toit.

Tu as découvert l'identité de l'assassin et l'arme qu'il a utilisée, mais tu l'as laissé s'enfuir. En lui demandant d'utiliser son téléphone, tu lui as mis la puce à l'oreille et il a filé à l'anglaise.

Perdu ! Prépare-toi à recevoir un savon
de la part des policiers, et tu l'auras mérité !
Il ne te reste plus qu'à retenter ta chance.
Un conseil : ne sois pas si crédule à l'avenir !

Madame Leblanc entre dans la salle à manger, suivie de Monsieur Violet. Ils avancent tous deux vers toi.

Tu es nerveux. Savoir que tu as un assassin en face de toi te fait perdre tes moyens.

Lui paraît tout à fait serein. Il arbore même un léger sourire narquois et te fixe à travers ses lunettes trop grandes. Du coup, tu doutes : peut-être vous êtes-vous trompés, Madame Leblanc et toi ? Peut-être que Madame Pervenche vous a menés en bateau ? Peut-être Monsieur Violet va-t-il vous faire la peau à tous les deux ? Tu ne sais plus.

Monsieur Violet attend, les mains dans les poches, que vous lui expliquiez pourquoi vous l'avez invité à venir ici.

Madame Leblanc perçoit ton malaise et décide de prendre les choses en main.

Comme si elle avait enfilé la robe noire d'un magistrat, elle se tourne vers Monsieur Violet pour lui lancer d'une voix solennelle :

— Nous avons les preuves de votre culpabilité !

Contre toute attente, celui-ci éclate de rire.

— Vous en avez mis du temps, répond-il.

Madame Leblanc et toi vous regardez sans comprendre.

— Oui, c'est bien moi qui ai tué le docteur Lenoir, poursuit Monsieur Violet. Le problème, c'est que vous ne pourrez jamais le prouver. Et la police non plus. J'ai parfaitement préparé mon coup et je possède les meilleurs avocats du monde.

Vous ne vous attendiez pas du tout à cette réaction et vous trouvez désemparés. Monsieur Violet se moque ouvertement de vous.

Vous cherchez un moyen de reprendre la main et de réussir à le faire parler, quand un bruit de sirène retentit dans la nuit.

— Vous avez en partie gagné, Monsieur Moutarde, ajoute le meurtrier.

— La police ! lâche Madame Leblanc. Le cauchemar va enfin s'achever.

Oui, les professionnels de l'enquête vont prendre le relais. Si tu as réussi, avec l'aide non négligeable de Madame Leblanc, à découvrir qui était l'assassin du docteur Lenoir, tu n'as en revanche pas trouvé avec quelle arme il a agi. Quant à son mobile...

Tu ne t'es pas trop mal débrouillé, mais il te reste des progrès à accomplir.

Mais, au fait, Monsieur Violet a l'air bien

serein pour un coupable. Et s'il possédait un alibi en béton et s'était tout simplement moqué de vous deux ?

Bravo ! Tu as mené cette enquête comme un professionnel ! Ou presque… Plusieurs éléments déterminants restent inconnus. Pour tenter de les découvrir, recommence au début !

Madame Leblanc est convaincue qu'on n'emploie plus d'arme blanche de nos jours pour commettre un crime.

— Croyez-moi ! dit-elle. Je regarde toutes les séries policières à la télé et on ne voit plus de meurtre au poignard. Les scénaristes s'appuient sur des réalités, ils n'inventent rien.

Les choses sont-elles aussi simples ?

Si tu penses comme Madame Leblanc, va au 75.

Si tu n'es pas de son avis, va au 22.

Tu te cales dans ton fauteuil et tu écoutes.

La conversation de ces dames se poursuit. Le docteur aimait beaucoup les animaux, il aimait aider son prochain, et le docteur ceci, et le docteur cela... À les entendre, le docteur Lenoir était un saint !

Tout à coup, Madame Pervenche éclate en sanglots. Les deux autres tentent alors de la consoler et le scoop finit par tomber :

— Le docteur et moi devions nous marier.

— Mais pourquoi n'avoir rien dit plus tôt ? demande Madame Leblanc, qui semble tomber des nues.

— Il avait de gros problèmes financiers et souhaitait les régler avant d'annoncer notre union, répond Madame Pervenche.

— Des problèmes financiers de quelle nature ? interviens-tu, soudain très intéressé.

— Il ne s'entendait plus du tout avec son associé et leur affaire était au bord du gouffre. Les huissiers le menaçaient.

— Un associé ? Qui ça ? Vous le connaissez ? demandes-tu avec une excitation palpable, car tu te sens très près du but.

Malheureusement, elle ne sait pas de qui il s'agit.

— Moi, je sais, intervient Mademoiselle Rose.

Vous vous tournez tous les trois vers elle.

— Mon-sieur Vio-let ! articule-t-elle silencieusement pour ne pas qu'il entende.

— Mais comment le savez-vous ? demande Madame Pervenche, stupéfaite.

Mademoiselle Rose baisse la tête, gênée.

— J'ai fouillé dans le bureau du docteur tout à l'heure... Je suis tombée sur un document officiel.

Intérieurement, tu cries victoire. Car tu tiens ton coupable. Mademoiselle Rose vient de te fournir un mobile en or pour Monsieur Violet : il s'est débarrassé de son associé pour une histoire d'argent !

 Si tu penses que tu dois tout dire à ces dames et qu'il est urgent de coincer Monsieur Violet, va au 85.

Si tu décides de t'en tenir là et d'attendre l'arrivée de la police pour leur livrer le coupable, va au 73.

12

Tu te demandes quoi faire maintenant, mais la question ne se pose pas longtemps car la police arrive enfin.

Lorsque Monsieur Olive recouvre ses esprits, l'inspecteur Lapipe, chargé de l'enquête, est avec toi dans le spa. Tu lui as tout raconté.

Lapipe demande à Monsieur Olive sa version des faits.

— Entre le moment où le docteur Lenoir a quitté le salon et celui où nous avons découvert son cadavre, répond Monsieur Olive, je n'ai pas quitté le salon. Mademoiselle Rose pourra vous le confirmer, nous étions en pleine discussion.

Lapipe se tourne vers toi et te lance un regard réprobateur.

— Dans ce cas, bredouilles-tu, Monsieur Violet m'a menti... Ce qui signifie que c'est lui l'assassin !

Laloupe, un assistant de l'inspecteur Lapipe, entre à cet instant dans le spa.

— Alors ? demande Lapipe.

— On a fouillé la maison, inspecteur, Monsieur Violet est introuvable !

Cette fois, Lapipe fulmine.

— Bravo, Monsieur Moutarde ! Savez-vous qu'en ayant aidé, volontairement ou non, le coupable à filer, vous pouvez être arrêté pour complicité de meurtre ?

Monsieur Olive se masse la mâchoire en t'adressant, lui aussi, un regard noir.

— Pauvre idiot ! te lance-t-il.

Tu étais près du but mais tu as commis une erreur fatale en t'entêtant à croire que Monsieur Violet t'avait dit la vérité.

Tu ne perds pas avec les honneurs.
Tu n'as plus qu'à recommencer pour
tenter de te racheter !

13

Tu n'as pas étudié la criminologie et ignores tout de la psychologie des tueurs, cependant, tu es persuadé qu'un être humain qui vient d'assassiner quelqu'un cherche avant tout à effacer les traces de son crime. La première chose consiste sûrement à faire disparaître l'arme qui a servi.

Maintenant que tu sais de quelle nature est cette arme et que tu as une idée de ce à quoi elle peut ressembler, tu décides de continuer à fouiller la villa, plus déterminé que jamais !

Mais avant cela, tu passes par la cuisine. Tu disposes sur un plateau une demi-douzaine de verres et quelques rafraîchissements avant de porter le tout au salon. En effet, tu crains qu'une absence prolongée de ta part n'éveille les soupçons des convives du docteur.

— C'est très gentil à vous, Monsieur Moutarde, te remercie Madame Leblanc.

— Vous n'avez rien trouvé à manger ? demande Mademoiselle Rose. Les émotions, ça me creuse toujours l'estomac.

— Antoine, le majordome, est justement aux fourneaux, réponds-tu.

— Le pauvre homme ! intervient Madame Pervenche. Il vient de perdre son employeur, pourtant il a encore le cœur à faire la cuisine.

Tu attends que la discussion reprenne et ressors discrètement.

 Va au 44.

14

Tu es toujours face au même dilemme : Monsieur Olive ou Monsieur Violet ?

Il doit bien y avoir dans cette villa un document susceptible de t'aider à répondre à cette question, non ?

En sport d'équipe, quand les actions collectives ne passent pas, on essaie de s'infiltrer individuellement. Tu as fait une tentative groupée avec les amies du docteur qui n'a pas fonctionné ; tu décides donc de poursuivre seul.

On ne range pas des documents dans un spa ou une salle à manger. Aussi, tu te diriges sans hésiter vers le bureau du docteur. Tu refermes la porte derrière toi et commences à fouiller la pièce.

Tu as la conviction que si le document que tu cherches existe, il est précieusement conservé quelque part. Tu ne perds donc pas de temps à lire la correspondance du docteur ; tu tentes plutôt de mettre au jour une cachette, un coffre-fort, ce genre d'endroit où l'on range les documents importants.

Ton intuition était bonne puisque tu finis par dénicher un tiroir secret au fond d'un meuble. Malheureusement, il est fermé à clé.

Qu'à cela ne tienne, tu sors ton couteau suisse et fais sauter la serrure !

Tu te retrouves en présence d'une pile de documents. Tu n'as pas le choix, il va falloir les examiner un par un.

Tu t'assieds dans un fauteuil et commences ta lecture.

Une dizaine de minutes plus tard, tu pousses un cri de joie.

— Je le tiens ! t'écries-tu.

Sous tes yeux, un acte notarié attestant que le docteur Lenoir et Monsieur Violet ont monté ensemble une société. Ils sont associés dans une affaire !

— Il y a une histoire d'intérêts là-dessous, t'exclames-tu en te frottant les mains.

Afin de transformer ton essai, tu te redresses d'un bond pour aller prévenir les autres et tenter de neutraliser le meurtrier.

Mais la pièce est fermée. Un tour de clé a été donné du couloir ! Tu es pris au piège ! Monsieur Violet a dû déceler quelque chose d'anormal dans ton attitude et il t'a suivi.

Tu peux être certain qu'à l'heure qu'il est, il est déjà très loin. Et tes certitudes ne te serviront à rien. Tu ferais même mieux de ne rien dire à la police de ton enquête secrète, cela jouerait contre toi puisque, dans un sens, sans tes agissements, Monsieur Violet serait toujours là.

Tu as perdu.

Quel dommage d'échouer si près du but !
Ne sous-estime jamais les réactions
d'un meurtrier ! Il ne te reste plus qu'à
recommencer l'enquête…

Madame Pervenche réfléchit.

— J'ai bien observé Monsieur Violet ce soir, avant le drame. Et en y repensant, je me rends compte qu'il n'a pas adressé une seule fois la parole au docteur Lenoir.

— Intéressant ! interviens-tu.

— Par ailleurs, poursuit-elle, je suis quasiment certaine qu'il a quitté le salon tout à l'heure, prétextant qu'il avait oublié son téléphone dans sa voiture. Mais je n'arrive pas à me souvenir si ça s'est passé avant ou après la macabre découverte.

Tu te tournes vers Madame Leblanc.

— Je ne m'en souviens pas non plus, dit cette dernière. Mais il est effectivement sorti récupérer son téléphone...

— Très intéressant ! répètes-tu. Vous pensez que Monsieur Violet est notre homme ?

— Il est vrai qu'il avait d'habitude un comportement plus amical, plus chaleureux avec le docteur... Il y avait ce soir comme un froid entre eux, je l'ai ressenti, moi aussi.

Il semble que vous soyez d'accord pour concentrer vos efforts sur Monsieur Violet.

Rends-toi au 25.

Tu as convaincu Madame Leblanc que vous serez plus forts à deux pour interroger Madame Pervenche. Un coupable se sent forcément plus vulnérable s'il se trouve face à deux personnes.

Mais un autre choix s'impose car il existe plusieurs façons de mener cet interrogatoire : la première consiste à mettre le suspect en confiance de manière à lui faire dire tout ce qu'il sait, et l'autre consiste à le brusquer, à l'intimider, quitte à lui faire peur.

Si tu optes pour la manière douce, va au 87.

Si tu préfères la manière forte, va au 54.

... 98, 99, 100 ! Tu te lèves en sifflo-
tant et quittes le salon.

Dans le couloir, tu entends :

— Psstt !

C'est Madame Leblanc qui t'appelle. Elle
se tient devant la porte du bureau restée
entrouverte.

— Elle est entrée là-dedans ! articule-t-elle
à voix basse. Je l'ai vue glisser quelque chose
dans un tiroir.

Tu manifestes ta satisfaction avec un grand
sourire. Cet objet pourrait être la clé de
l'énigme.

— Qu'est-ce qu'on fait ? On retourne au salon ou on l'espionne encore ? murmure-t-elle.

Si tu veux pister encore un peu Madame
Pervenche pour tenter d'en découvrir
davantage, va au 58.

Si tu estimes que cette information est
suffisante pour l'instant, va au 99.

— La soirée risque d'être longue, lance soudain Madame Leblanc. Je vais aller demander au majordome de nous préparer du café.

Le salon est plongé dans le silence. Seul un léger bourdonnement s'échappe des écouteurs de Mademoiselle Rose. Monsieur Violet est dans son coin ; il passe le temps en jouant sur son téléphone. Monsieur Olive feuillette un magazine people et répond de temps à autre à des SMS. Quant à Madame Pervenche, elle fixe une table basse en prenant soin d'afficher la tristesse que le décès du docteur Lenoir lui inspire.

Tu réfléchis à une nouvelle initiative pour faire avancer ton enquête qui, il faut bien l'avouer, piétine sérieusement.

C'est alors que tu te dis que cette histoire de café est peut-être une ruse de Madame Leblanc.

Tu te dresses d'un bond.

 Rejoins vite Madame Leblanc en cuisine au 66.

Tu restes seul avec Madame Pervenche dans la salle à manger et il ne s'écoule pas cinq minutes avant qu'on frappe à la porte.

C'est Mademoiselle Rose, ses écouteurs autour du cou.

— Qu'y a-t-il ? demande-t-elle d'un ton innocent.

— Asseyez-vous ! lui ordonnes-tu.

Tu as décidé, d'un commun accord avec Madame Pervenche, de la bousculer un peu, quitte à bluffer.

— Nous vous épions depuis un moment, lui mens-tu. Nous savons tout.

Mademoiselle Rose consent à s'asseoir. Dans son mouvement, elle soupire. Puis elle vous dévisage tour à tour, Madame Pervenche et toi.

— Et alors ? finit-elle par répondre. Ça prouve quoi ?

Tu ne t'attendais pas à cette réaction et éprouves quelque difficulté à enchaîner. Tu réfléchis un instant.

— Pff ! fait Madame Pervenche avec mépris. Quelle insolence !

Mademoiselle Rose ne relève pas et préfère s'expliquer :

— D'accord, j'ai fouillé le bureau du docteur Lenoir tout à l'heure. Il n'y a pas que vous, Monsieur Moutarde, qui ayez envie de connaître la vérité. Et oui : j'ai découvert certaines choses.

—Lesquelles ? intervient Madame Pervenche.

— Que vous aviez une relation avec le docteur, par exemple ! Vous ne vous en êtes pas vantée, n'est-ce pas ? Sous couvert d'une respectabilité au-delà de tout soupçon, vous vous êtes bien moquée de nous !

— Ma vie privée ne regarde personne ! réplique Madame Pervenche.

— Il me semble qu'entre amis, on ne se cache pas ces choses-là.

— Le docteur avait ses raisons pour ne pas souhaiter que la nouvelle s'ébruite, je vous demande de les respecter ! Et je ne suis pas certaine d'être votre amie !

— Le docteur l'était, lui, il me l'a plusieurs fois témoigné !

Tu lèves la main pour mettre fin à cette querelle qui ne mènera nulle part.

— Qu'avez-vous découvert d'autre, Mademoiselle Rose ?

— Que le docteur avait un associé. Encore une cachotterie que j'ai du mal à m'expliquer...

— Mais vous vous prenez pour son épouse, ma parole ! la coupe à nouveau Madame Pervenche.

— STOP ! t'écries-tu.

Une fois le silence revenu, tu poursuis ton interrogatoire.

— Que savez-vous de cet associé ?

Mademoiselle Rose secoue la tête.

— Rien.

Tout à coup, le visage de Madame Pervenche s'illumine.

— Mais, j'y repense, s'exclame-t-elle. Le docteur ne m'a jamais parlé de son collègue en utilisant des termes féminins. Il m'a même dit, il y a peu de temps, qu'ils s'étaient disputés et qu'ils avaient failli en venir aux mains... Je l'imagine mal se battre avec une femme !

 Va vite au 84.

Tu ne dois surtout pas déposer tes empreintes sur le manche du poignard. Tu pourrais ensuite être suspecté du meurtre par la police.

Réfléchis et fais le point !

Tu as découvert l'arme du crime. Tu as réussi à pister l'assassin, sans toutefois voir précisément de qui il s'agissait. En revanche, et tu es formel à ce propos, tu avais affaire à un homme. Certes, ce dernier a filé et a dû regagner le salon, mais ce simple constat t'a permis d'éliminer trois suspects sur cinq.

Il te reste à déterminer qui de Monsieur Olive ou de Monsieur Violet est l'assassin du docteur Lenoir.

Cette cave ne t'apprendra rien d'autre. Tu estimes qu'il est temps d'aller rejoindre les autres.

Si tu penses que la prochaine étape consiste à interroger individuellement les deux suspects, va au 88.

Si tu juges qu'il est préférable de questionner Mesdames Pervenche et Leblanc, ainsi que Mademoiselle Rose, afin d'en apprendre un peu plus sur les deux hommes, va au 97.

Tu as adopté un ton sournois qui n'a pas fonctionné : Monsieur Violet n'a pas marché dans la combine, il t'a ignoré.

Tu changes ton fusil d'épaule et te rabats sur une méthode plus simple : tu vas jouer cartes sur table.

— Monsieur Violet, je vous demande de bien m'écouter. Nous avons passé une bonne partie de la soirée avec Madame Leblanc à envisager toutes les possibilités. Madame Pervenche nous a rejoints pour mener cette enquête. Et il apparaît que vous êtes le seul et dernier suspect.

Monsieur Violet t'écoute, les bras croisés. Il n'a pas encore l'air disposé à te répondre.

— Vous devriez vous rendre à l'évidence, poursuis-tu. Nous avons découvert que vous étiez associé dans une affaire avec le docteur. Que la société que vous aviez montée ensemble avait de sérieux problèmes d'argent. Qu'il manquait une arme dans sa collection de poignards...

Monsieur Violet finit par ouvrir la bouche :

— Je ne sais pas de quoi vous parlez, Monsieur Moutarde. En revanche, je sais que rien ne vous autorise à me questionner comme vous le faites. Si vous vous autorisez une seule autre question, je porte plainte contre vous pour harcèlement moral dès demain matin. Nous avons quatre témoins dans cette pièce.

Tu te tournes vers Madame Leblanc ; elle hausse les épaules en signe d'impuissance.

Tu as envie de continuer, voire de te lever pour mettre ton poing dans la figure de Monsieur Violet, mais tu te résous à baisser les bras : la partie est perdue. Et, d'ailleurs, la police arrive enfin.

« Tout ça pour ça », te dis-tu.

FIN

Perdu ! Malgré tes talents d'enquêteur,
tu n'as pas rempli la mission que tu t'es confiée.
À moins que tu ne veuilles retourner à tes
matches de rugby comme si de rien n'était,
tu vas devoir reprendre l'enquête de zéro !

22

Tu n'adhères pas tout à fait à la théorie de Madame Leblanc. Par ailleurs, l'utilisation d'une arme à feu te fait penser à autre chose.

— Si, comme vous le pensez, l'assassin a employé une arme à feu, il y a forcément eu une détonation !?!

Mesdames Leblanc et Pervenche échangent un regard perplexe.

— Avez-vous entendu un coup de feu ce soir ? insistes-tu.

Pas de réponse.

— Dans ce cas, nous pouvons écarter cette solution et revenir à l'autre.

— Et que faites-vous des silencieux ? intervient Madame Leblanc en te gratifiant d'un regard supérieur.

Tu n'avais pas pensé à ça et t'imposes un temps de réflexion. Tu te retournes vers la collection d'armes à feu et inspectes les différentes pièces.

— Je ne vois aucune arme équipée d'un silencieux, finis-tu par déclarer.

— L'assassin est peut-être venu avec son propre silencieux, riposte-t-elle.

— Impossible, le silencieux universel n'existe

pas. Il s'adapte uniquement au pistolet ou au revolver pour lequel il a été conçu. Si le coupable est venu avec son silencieux, il a aussi apporté son arme. Or nous sommes en train d'étudier la possibilité qu'il ait utilisé une arme du docteur...

Ma démonstration cloue le bec de Madame Leblanc.

— Tiens ! s'exclame soudain Madame Pervenche en contemplant l'exposition d'armes blanches. Venez voir !

 Va vite au 35.

23

Tu fixes Madame Pervenche.

— L'identité de son associé est primordiale, essayez de vous souvenir de quelque chose, d'un détail qui nous mettrait sur la voie...

Elle réfléchit encore, mais elle a beau se creuser la tête, rien ne lui revient.

— Je suis désolée, dit-elle. Nous ne parlions jamais de tout ça. C'était son jardin secret et je le respectais.

Déçue, Madame Leblanc soupire :

— Il ne nous reste plus qu'à interroger les trois suspects restants.

— Je pense qu'on peut écarter Mademoiselle Rose, reprend Madame Pervenche. Les rares fois où nous avons évoqué cette personne, le docteur parlait d'*un* associé, et non d'*une* associée.

Donc tout se jouerait entre Messieurs Olive et Violet ? Cette perspective te réjouit et t'encourage à poursuivre ton enquête : elle progresse plus vite que tu ne t'y attendais.

— Vous connaissez l'un et l'autre mieux que nous, dis-tu à Madame Leblanc. Je propose que ce soit vous qui les interrogiez. Si vous êtes d'accord, évidemment.

Tes deux alliées acquiescent sans réserve.

 Fonce au 86.

— À la bonne heure ! répliques-tu. L'union fait la force. Et je n'ai jamais vu un joueur de rugby marquer un essai tout seul.

Madame Leblanc paraît ravie de votre collaboration.

— Nous serons plus efficaces à deux ! ajoute-t-elle.

Cependant, comme tu n'es pas stupide, tu n'as pas pour autant oublié qu'elle figure, au même titre que les autres, sur ta liste de suspects. Mais quel avantage aurait le coupable à t'aider à le démasquer ? Ça ne tient pas debout.

Tu poses donc comme hypothèse que seuls Mademoiselle Rose, Madame Pervenche et Messieurs Violet et Olive sont des assassins potentiels.

Mine de rien, tu as écarté l'un des cinq coupables possibles en un tournemain, ce qui te redonne le sourire.

Ta nouvelle coéquipière et toi décidez de vous concerter pour définir une stratégie. Pour ce faire, vous partez vous isoler un instant dans le bureau du docteur Lenoir.

Rends-toi avec Madame Leblanc au 83.

Monsieur Violet est un homme de caractère, vous le savez tous les trois. Il va falloir être très fin pour réussir à le coincer…

Vous pouvez l'attirer dans la salle à manger et avoir avec lui une conversation musclée, ou alors opter pour une fausse convivialité en retournant tous au salon et en engageant une discussion amicale. Le but étant dans ce cas de lui faire commettre tôt ou tard le faux pas qui le trahira.

Si tu préfères interroger Monsieur Violet dans la salle à manger, va au 60.

Si tu préfères que la confrontation ait lieu au salon, va au 91.

Pendant que les uns et les autres se lamentent sur la disparition du docteur, tu en profites pour t'éclipser du salon. Tu files en direction de sa chambre.

Comme t'en a informé Madame Pervenche, la porte est fermée ; un tour de clé a même été donné. Dommage ! Un coup d'œil dans le trou de la serrure ne t'apprend rien : la pièce est plongée dans l'obscurité.

Tu observes tout autour de toi, mais ne remarques rien. Le problème, c'est que tu ne sais même pas ce que tu cherches ! Tu t'imaginais peut-être que l'assassin aurait laissé traîner un briquet avec ses initiales gravées dessus ou qu'il aurait fait tomber une carte de visite de son portefeuille ?!

Tu n'es pas en train de regarder un mauvais téléfilm : tu es au cœur d'une sale histoire qui a déjà coûté la vie à une personne ce soir. Qui sait si la liste ne va pas s'allonger ? Et d'ailleurs, il n'est pas exclu que tu y figures à un moment ou un autre. Alors secoue-toi et prends les bonnes décisions !

Plus tu réfléchis face à cette satanée porte close, plus tu es convaincu que c'est derrière elle que se trouvent les réponses aux questions que tu te poses. Seulement voilà : les forces de l'ordre en ont interdit l'accès.

Es-tu du genre à respecter ce type de consignes ?

Si pour rien au monde tu n'irais contre un ordre donné par la police, va au 89.

Si, au contraire, tu te sens prêt à passer outre cette interdiction, rends-toi au 32.

27

Pour Madame Pervenche, les choses sont claires : Monsieur Violet est l'assassin du docteur Lenoir.

Madame Leblanc est moins catégorique, mais elle estime que vous avez fait le maximum et que le reste n'est pas de votre ressort : elle suggère d'attendre patiemment les policiers et de leur faire part de vos conclusions.

Toi, tu aimerais aller plus loin. Tu penses qu'il faudrait mettre au point une stratégie pour forcer Monsieur Violet à avouer son crime.

— C'est trop dangereux ! s'oppose Madame Leblanc. Nous avons affaire à un homme qui a tué de sang-froid. S'il se sent piégé, il n'hésitera sans doute pas à recommencer.

— Elle a raison, renchérit Madame Pervenche, nous ne pouvons pas courir ce risque. Si Monsieur Violet réalise que nous savons la vérité, il se retrouvera dos au mur, et qui sait comment toute cette histoire finira…

Malgré toi, tu te ranges à l'avis général. Vous mettez un terme à votre enquête.

Tu n'as pas tout perdu, puisque tu as décou-vert le nom de l'assassin. Mais celui-ci n'a pas avoué son crime et tu ignores son mobile exact ainsi que l'arme qu'il a utilisée.

Bravo ! Tu as résolu une partie de l'énigme.
Une partie seulement... Est-ce suffisant pour
un détective dans l'âme comme toi ?
Il y a sûrement un moyen de découvrir
toute la vérité, non ?

28

Peu après le départ de Mademoiselle Rose et de Messieurs Olive et Violet, la police arrive à la villa.

L'inspecteur Lapipe est un grand type sec et énergique. Il est secondé par Monsieur Laloupe qui ne le lâche pas d'une semelle.

Avec Madame Leblanc, vous leur faites un résumé détaillé de ce qui s'est passé depuis votre appel téléphonique.

Lapipe ne semble pas emballé par vos initiatives, et encore moins par vos déductions.

— Allons voir le docteur Lenoir ! lâche-t-il.

Vous vous rendez tous les quatre dans sa chambre et il ne faut pas plus d'une minute à l'inspecteur pour réduire à néant vos conclusions.

— De toute évidence, votre ami a été tué avec une arme blanche. Et vu son gabarit, il est exclu que la personne qui ait commis ce meurtre soit une femme, sauf peut-être s'il s'agit d'une championne olympique de lancer de poids !

Tu te sens humilié. Néanmoins, tu veux te justifier.

— Mais la lettre !

— Que Madame Pervenche ait des choses à cacher est une chose, mais cela n'implique pas qu'elle soit coupable.

Madame Leblanc croise les bras en baissant la tête.

— Je ne vous félicite pas, tous les deux, poursuit l'inspecteur. À cause de vous, l'assassin nous a filé entre les pattes et nous ne remettrons peut-être jamais la main dessus. Non seulement vous avez outrepassé vos droits en jouant les détectives, mais, en plus, vous avez gêné notre travail.

Il se tourne vers son adjoint :

— Laloupe, allez libérer Madame Pervenche !

L'échec est cuisant et on peut dire que
tu ne perds pas avec les honneurs.
Retente ta chance à partir d'un autre choix.

« Toi, mon coco, tu te moques de moi ! » te dis-tu intérieurement, persuadé que Monsieur Violet t'a menti. Mais ce n'est pas grave car tu as déjà une idée pour le coincer.

Tu attends tranquillement son retour au salon. Son numéro figure dans ton répertoire téléphonique.

Lorsqu'il revient prendre place parmi vous, tu le surveilles du coin de l'œil. Une fois que sa vigilance s'est relâchée, tu l'appelles en anonyme avec ton portable et guettes sa réaction.

Tu n'entends rien, mais ça doit vibrer dans sa poche puisqu'il saisit discrètement son téléphone pour en regarder l'écran.

Tu ranges ton appareil.

Il en fait autant.

Il a du réseau, donc c'est LUI ! Monsieur Violet est l'assassin du docteur Lenoir, tu en es certain à présent. Il s'est méfié de toi et n'a pas voulu te prêter son téléphone.

Mais que faire avec cette certitude ?

Fonce au 52.

Monsieur Violet entre dans la salle à manger sans montrer le moindre embarras. Au contraire, il paraît même ravi de cette confrontation.

— Vous vouliez me parler, mon cher Moutarde ? Que puis-je pour vous ?

— Euh... bafouilles-tu, un peu pris de court.

— Et cette enquête, ça avance ?

Décidément, ça ne se passe pas du tout comme tu l'avais prévu ! Il est temps de reprendre le dessus.

— Écoutez, Monsieur Violet, je ne pense pas que vous soyez en position de jouer au plus malin ! Les faits sont contre vous !

Il éclate de rire.

— Les faits ? Quels faits ?

— Avec Madame Leblanc et Madame Pervenche, nous avons acquis la certitude que vous êtes coupable du meurtre du docteur Lenoir. Il est inutile de nier.

— Pff ! Vous êtes ridicule, Monsieur Moutarde ! Cessez de jouer les apprentis enquêteurs et continuez à commenter les matches de rugby, vous n'êtes bon qu'à ça. Et encore...

— Pourquoi le prendre de cette façon ? Nous sommes vos amis, et nous pouvons entendre, sinon comprendre les raisons de votre geste. La police exigera notre témoignage et celui-ci pourrait peser dans la balance...

— Je n'en ai rien à faire, de votre témoignage. Je suis innocent !

— Très bien ! dis-tu. Dans ce cas, nous ferons part aux autorités des résultats de notre enquête.

À ces mots, Monsieur Violet se rue sur toi et joint ses deux mains autour de ton cou. Mais tu as anticipé son attaque et lui lances un violent coup de poing dans l'estomac.

Il lâche aussitôt sa prise, à la recherche de son souffle, recule et, déséquilibré par une chaise derrière lui, tombe à la renverse.

La porte s'ouvre et Madame Leblanc se précipite dans la pièce. Elle écoutait certainement derrière la porte.

— Ça vous défoule de taper sur lui ? te demande-t-elle, en colère.

— C'est lui qui m'a sauté dessus ! te défends-tu. Et puis n'en rajoutez pas, s'il vous plaît, c'est déjà assez pénible comme ça. Il ne veut rien avouer et campe sur ses positions.

Monsieur Violet retrouve ses esprits et se relève.

— Mais qui vous autorise à mener cette enquête ? De quel droit interrogez-vous les gens ?

Vous le regardez sans savoir comment répondre à ces questions pleines de bon sens.

— Je vais vous dire une bonne chose : je sais ce que j'ai fait, et je sais ce que j'ai à faire, ajoute-t-il.

On frappe soudain à la porte d'entrée.

— La police ! devine Madame Leblanc.

Monsieur Violet sourit.

— Vous avez perdu, Monsieur Moutarde.

Effectivement, ton coup de bluff n'a pas fonctionné. Tu as de sérieux doutes, certes, mais on n'envoie pas un homme derrière les barreaux pour si peu.

Ton enquête n'a pas vraiment été concluante. Et si tu la reprenais depuis le début ?

P endant que vous admiriez la collection d'armes à feu du docteur avec Madame Pervenche, Madame Leblanc ouvrait une autre armoire de l'observatoire.

— La vache ! t'exclames-tu en découvrant une panoplie d'armes blanches.

— Qu'est-ce que vous dites de ça ? demande Madame Leblanc, fière de sa trouvaille.

— Sacrée collection ! remarques-tu.

Il y a là des poignards de toute sorte et de toute taille, à manche de nacre, de bois précieux ou de corne. Il y a également des stylets et des machettes, des baïonnettes, des glaives et des épées...

Tu te poses alors une question cruciale : si l'assassin s'est servi dans les armoires du docteur Lenoir, a-t-il choisi une arme à feu, comme le pense Madame Leblanc, ou une arme blanche ?

Si tu penses qu'il a opté pour une arme à feu, va au 10.

Si tu penses qu'il a préféré une arme blanche, va au 22.

Tu n'aimes pas beaucoup les interdits. Petit, déjà, tu étais du genre à aller fouiner dans les placards que tu n'avais pas le droit d'ouvrir. Tu n'as pas changé ! Quant à cette ridicule serrure de chambre à coucher, elle ne te fait pas peur. Ce qui t'attend derrière cette porte, il sera temps d'y penser lorsque tu en seras venu à bout.

Tu sors ton couteau suisse et commences à triturer le trou avec divers outils. L'opération s'avère un peu plus délicate que tu ne l'avais imaginé, mais le mécanisme finit par céder et la porte s'ouvre…

Tu entres en retenant ta respiration. Tu appuies sur l'interrupteur et avances à pas comptés, de moins en moins sûr de toi. Tu te forces à ne pas partir en courant. Le corps du docteur est là, devant toi, à deux enjambées seulement, sur son lit. Il est allongé sur le dos. Il y a quelques gouttes de sang par terre et sa chemise en est imbibée.

C'est la première fois que tu te retrouves face à un mort. Tu es tellement choqué que tu ne sais même plus pourquoi tu es entré dans cette chambre ! Soudain ton enquête te paraît dérisoire. Tu songes à fuir mais c'est comme si tu étais paralysé, tu es incapable de prendre une décision.

Tout à coup, tu entends des pas derrière toi. Tu as le réflexe de te retourner mais il est trop tard pour esquiver... Tu as juste le temps d'entrevoir le chandelier qui vient s'abattre sur ton front !

Tu ressens aussitôt une vive douleur et, tout de suite après, c'est le trou noir.

Lorsque tu te réveilles, tu es allongé par terre, au pied du lit du docteur. C'est le tintement de la sonnette d'entrée qui t'a fait reprendre tes esprits.

La douleur se réveille, elle aussi. Tu te lèves lentement en portant ta main à ton front. En même temps, tu entends les forces de police se déployer dans la villa.

Tu as perdu. Le meurtrier n'a pas beaucoup apprécié ton initiative. Il te l'a fait comprendre à sa manière avant de s'enfuir.

Tu as fait preuve d'audace, pourtant tu n'as pas été récompensé. Il y a certainement une autre méthode qui te permettrait de résoudre cette énigme ! As-tu le courage de recommencer ?

Tu possèdes avec Madame Leblanc une carte maîtresse : la lettre d'amour signée du docteur Lenoir.

D'un commun accord, vous avez décidé d'interroger Madame Pervenche afin qu'elle s'explique au sujet de cette relation.

Pour cela, vous définissez un stratagème pour vous éloigner des autres et l'attirer dans la salle à manger. Mais vous hésitez encore sur un point : qui devra la questionner ?

Madame Leblanc hésite et s'en remet à ta décision.

Si tu décides de le faire seul, va au 78.

Si tu penses qu'il est préférable de l'interroger à deux, va au 16.

Si tu crois que Madame Leblanc s'en tirera mieux que toi, va au 101.

— Je le trouvais particulièrement soucieux ces derniers temps, vous avoue Madame Pervenche. Il avait perdu sa joie de vivre.

— Vous pensez que c'était dû à la mauvaise santé de ses affaires ? demandes-tu.

Elle hoche la tête.

— Pourquoi avez-vous caché cette lettre du docteur dans son bureau ?

— Je ne sais pas, j'ai paniqué... Je la garde toujours avec moi, dans mon sac. J'ai pensé que si les policiers nous fouillaient, ils mettraient la main dessus, et j'aurais été automatiquement suspectée...

— Je comprends.

— Vous lui connaissez des ennemis ? enchaîne ta partenaire.

Madame Pervenche hésite. Tu sens qu'elle en sait plus qu'elle n'en a encore dit.

Elle finit par se lever et dit :

— Suivez-moi !

Si tu as des doutes sur sa sincérité, va au 92.

Si tu fais entièrement confiance à Madame Pervenche, suis-la au 65.

Madame Pervenche retire du tableau un magnifique fourreau en argent sculpté.

— On dirait que le poignard qui va avec a disparu...

En effet, l'étui est vide. L'arme a été retirée !

— Bravo, Madame Pervenche ! la félicites-tu. Ma main au feu que c'est celui qui a tué le docteur !

Tu te retournes vers Madame Leblanc comme pour souligner que c'est toi qui avais raison. Elle s'obstine à détourner les yeux. Quel caractère !

— Et maintenant ? Que fait-on ? demande-t-elle en se dandinant d'un pied sur l'autre, les bras croisés.

Fort de ta petite victoire, tu décides d'enfoncer le clou.

— Inutile de tourner autour du pot ! Retournons au salon avec ce bel objet. Si celui ou celle qui le reconnaît ne tourne pas de l'œil ou n'avale pas sa langue, je m'engage à relire la collection complète des Agatha Christie ainsi que tous les *Sherlock Holmes* !

— Eh bien, allons-y, puisque vous vous croyez si fort ! répond Madame Leblanc en t'adressant un regard de travers et, il faut bien l'avouer, plutôt méprisant.

 Va au 93.

36

Tu veux en découdre avec Monsieur Olive. La conviction de sa culpabilité provoque en toi une bouffée de rage.

Tu pénètres dans le salon et te diriges droit sur lui. Il s'est assoupi sur son fauteuil.

— Monsieur Olive, vous voulez bien me suivre ? J'aimerais vous parler en privé.

Il ouvre des yeux surpris, comme si tu le tirais d'un joli rêve. Mesdames Pervenche et Leblanc se tournent vers vous, l'air tout aussi étonné. Seule Mademoiselle Rose ne lève pas le nez, absorbée par la musique qu'elle écoute.

— Qu'y a-t-il, Monsieur Moutarde ? te demande Monsieur Olive.

— Suivez-moi ! répètes-tu fermement.

Sans en demander davantage, il accepte de se lever et t'emboîte le pas. En guettant un éventuel coup fourré de sa part, tu le conduis jusqu'au spa où tu lui dévoiles tout ce que tu viens de découvrir : l'arme manquante dans la collection du docteur, la discussion téléphonique dans le passage secret, la découverte du poignard...

— Je ne sais pas de quoi vous parlez, Monsieur Moutarde, souffle-t-il, l'air navré.

— À quoi bon nier, Monsieur Olive ? Les preuves sont là. J'ai entendu le coupable avouer les faits, il s'agissait d'un homme, et ce n'était pas Monsieur Violet, c'était donc vous !

— Vous devriez vous en tenir à vos commentaires sportifs ! Non pas que vous soyez exceptionnel d'ailleurs, mais en enquêteur criminel vous ne valez rien du tout, mon vieux. Maintenant, laissez-moi tranquille !

Il tourne les talons et fait mine de sortir de la pièce.

— Un dernier conseil, lance-t-il avant de disparaître : le jacuzzi vous tend les bras. Un bon bain devrait vous détendre !

Vexé par son attitude et ses insinuations, et plus que jamais persuadé qu'il est coupable, tu te jettes sur lui. Il tente de se libérer en t'envoyant un crochet dans l'estomac ; tu ripostes par un direct du droit en pleine face.

Ton passé de rugbyman t'a été utile. Tu y as mis toutes tes forces et Monsieur Olive est sonné. Il s'écroule, sans connaissance.

 Fonce au 12.

37

Malheureusement, lorsque vous retournez au salon, seul Monsieur Olive s'y trouve.

— Où est passé Monsieur Violet ? lui demandes-tu, paniqué.

—Je ne sais pas, répond-il. Il a quitté le salon juste après vous. Pourquoi ? Qu'y a-t-il ?

Par acquit de conscience, tu te précipites dans le jardin : la Porsche de l'assassin n'est plus là.

Vous avez manqué de vigilance et de discrétion. Pourtant, à présent cela te semble évident : un assassin est toujours sur le qui-vive. En quittant la pièce tous les quatre, vous lui avez fait peur, il s'est douté de quelque chose. Il a préféré fuir plutôt que risquer d'être démasqué. Comment avez-vous pu être aussi négligents ?

Tu as perdu. Un sérieux suspect sous la main vaut mieux qu'un coupable qui s'est évaporé ; tu l'as appris à tes dépens.

FIN

As-tu exploré toutes les possibilités
de cette enquête ? Ne baisse pas les bras
et fais de nouveaux choix, aucun doute que
tu réussiras à démasquer le coupable !

38

Tu te précipites vers le hall et tombes nez à nez avec Antoine, le majordome, transformé pour l'heure en bonhomme de neige.

Tu l'avais complètement oublié, celui-là !

— Où étiez-vous ? lui demandes-tu de but en blanc.

— Il me manquait des clous de girofle pour ma recette. J'ai fait un saut à l'épicerie, mais j'ai été retardé par la neige. Les rues sont devenues quasiment impraticables !

Tu le fixes d'un air suspicieux, qu'il ne remarque pas – ou fait semblant de ne pas voir – et il file vers la cuisine.

Tu t'apprêtes à aller retrouver les autres au salon quand Madame Leblanc vient te rejoindre dans le hall.

— Monsieur Moutarde, déclare-t-elle avec détermination, je suis d'accord avec vous.

— C'est-à-dire ?

— On ne peut pas rester tous les six ici à s'observer en chiens de faïence en attendant la police. Il faut trouver le coupable ! Je veux vous aider !

Si tu acceptes sans réserve l'aide de Madame Leblanc, va au 24.

Si tu acceptes l'aide de Madame Leblanc, sans toutefois lui faire réellement confiance, va au 43.

Si tu refuses son aide, rendez-vous au 72.

39

Voilà près d'une demi-heure que tu cherches un document qui t'informerait sur l'identité de l'associé du docteur.

Tu as fait chou blanc pour l'instant mais tu ne te décourages pas. Meuble après meuble, tiroir après tiroir, tu épluches les dossiers un à un...

Et puis, ça y est : victoire ! Tu as sous les yeux un document officiel de la Chambre de commerce sur lequel il est écrit noir sur blanc que l'associé du docteur Lenoir est Monsieur...

Une drôle d'odeur attire soudain ton attention. Une odeur forte, âcre, chaude...

Tu te retournes brusquement : la porte du bureau est en feu ! Tu te précipites vers la sortie mais il est déjà trop tard : la poignée est noyée dans les flammes. De l'essence a été déversée sous la porte. Tu es face à un brasier infranchissable.

Tu te tournes vers la fenêtre et veux l'ouvrir : elle est bloquée !

La panique s'empare de toi. Bien sûr, tu ne comprends pas ce qui s'est passé.

Bien sûr, tu ne sais pas que Mesdames Pervenche et Leblanc ont commis une erreur fatale, surtout pour toi : elles ont échangé quelques paroles que l'assassin a perçues. Il s'est empressé de venir te neutraliser et, par la même occasion, brûler les documents susceptibles de l'accuser. Sans le vouloir, elles t'ont grillé.

Bien sûr, tu te moques un peu de tout ça maintenant que tu réalises que ta vie touche à sa fin. Et tu regrettes plus que jamais d'avoir accepté ce dîner catastrophe.

Bien sûr, même si tu as trouvé le nom de l'associé de Lenoir, tu as perdu, car tu ne peux rien en faire.

Tes mauvais choix t'ont fait
perdre prématurément…
Retente l'aventure, en réfléchissant
différemment, cette fois-ci.

Madame Leblanc a l'air tellement sûre d'elle que tu ne t'y opposes pas. Elle doit avoir un sacré atout dans son sac et tu décides de lui faire confiance.

— Très bien ! dis-tu en te levant. Je vous attends dans le bureau. Prévenez-moi quand vous aurez fini.

Tu quittes la salle à manger et te diriges vers le bureau.

En chemin, tu passes par le salon. Tu glisses la tête pour constater que rien ne cloche : Madame Pervenche s'est assoupie. Elle émet une sorte de petit ronflement qui n'a rien de distingué. Mademoiselle Rose est toujours sous perfusion musicale, quant à Monsieur Violet, il observe la nuit à travers une fenêtre, l'air songeur. Parfait !

Tu vas t'isoler dans le bureau.

 Rends-toi au 6.

Tu as toujours pensé que l'habit ne faisait pas le moine. Et s'il est une personne parmi vos trois suspects qui n'a ni l'apparence, ni le comportement, ni le profil d'un assassin, c'est bien Mademoiselle Rose. Par déduction, tu soumets à tes partenaires le nom de la star des magazines people comme suspect numéro un.

— Je vous suis, Monsieur Moutarde, réplique Madame Pervenche d'un ton pointu. Je suis certaine que cette petite sainte-nitouche sans éducation nous manipule depuis le début. On lui donnerait le bon Dieu sans confession alors qu'elle est pleine de venin !

— Il est vrai qu'elle est sans doute trop jolie pour être honnête, renchérit Madame Leblanc.

Vous voilà donc tous les trois prêts à parier sur la culpabilité de Mademoiselle Rose. Reste à mettre au point quelques détails pratiques pour savoir comment la cuisiner.

— Je propose que Madame Pervenche et moi restions ici, dis-tu. Vous, Madame Leblanc, vous retournez au salon et vous vous arrangez pour nous envoyer Mademoiselle Rose sans éveiller les soupçons des autres. Vous ne les quittez pas des yeux pendant qu'on s'occupe de Mademoiselle Rose, et au moindre comportement suspect, vous venez nous chercher.

Tes partenaires n'émettent aucune objection.

 Dépêche-toi d'aller au 19.

42

Tandis que Madame Leblanc prend un magazine sur la table basse, tu sors de la pièce à ton tour.

Tu fonces dans le couloir en direction de la salle de projection. Sur le pas de la porte, tu aperçois Madame Pervenche qui cherche Antoine. Bien évidemment, le majordome n'a pas quitté la cuisine.

Tu entres dans la salle de projection et retires la clé qui se trouve sur la face intérieure de la lourde porte capitonnée.

— Monsieur Moutarde ? Qu'est-ce que vous faites là ?

— Nous avons établi la preuve de votre culpabilité, Madame Pervenche. J'espère que vous avez pris votre brosse à dents avec vous car vous allez connaître dès ce soir les joies de la prison.

Ta tirade lui coupe le souffle. Elle en reste muette.

— La police s'occupera de vous dans un instant, ajoutes-tu avant de fermer la porte à double tour et de sortir.

En t'éloignant dans le couloir, tu devines plus que tu n'entends les petits poings de Madame Pervenche cogner contre la cloison insonorisée de la salle de projection.

 Pour retrouver les autres innocents de cette énigme, va au 90.

43

— M'aider ? demandes-tu.

— Oui, je veux vous aider à trouver le coupable, répète Madame Leblanc. Savoir qu'il y a un assassin dans cette maison me glace le sang. Et je ne resterai pas sans rien faire pour tenter de le démasquer !

Tu t'interroges sur la sincérité de l'actrice. Elle pourrait très bien être la coupable et chercher à brouiller les pistes...

En même temps, elle connaît les autres invités du docteur Lenoir mieux que toi et pourrait t'être utile.

Après une courte réflexion, tu te dis que tu n'as pas grand-chose à perdre en acceptant sa proposition, pourvu que tu restes suffisamment méfiant à son égard.

— Eh bien, c'est d'accord ! Travaillons main dans la main ! mens-tu.

Madame Leblanc t'offre son plus beau sourire. Mais le problème avec elle, c'est qu'on n'est jamais sûr qu'elle ne joue pas la comédie.

— Comment comptez-vous procéder ? te demande-t-elle d'une voix mielleuse en s'approchant de toi comme si vous étiez soudainement liés par un pacte de sang.

— Je ne sais pas précisément, réponds-tu,

plus détaché. Mes souvenirs des enquêtes de Sherlock Holmes remontent assez loin.

Elle te fixe d'un air étonné. Sans doute n'apprécie-t-elle pas ton humour... ce que tu peux comprendre.

— Je suppose qu'on pourrait commencer par interroger les suspects, ajoutes-tu rapidement.

— Excellente idée ! s'exclame-t-elle, enthousiaste. Allons les retrouver !

Tu t'interroges sur la sincérité de cette réplique mais tu ne peux pas remettre en cause la bonne foi de ta supposée coéquipière avant même d'avoir débuté l'enquête !

 Suis Madame Leblanc jusqu'au 7.

44

Tu reprends tes recherches à travers la villa. Maintenant que tu sais ce que tu dois trouver, tu vas plus vite.

Tu passes au peigne fin plusieurs pièces avant de retourner dans l'observatoire. Tiens ?! Tu n'avais jamais remarqué ce rideau épais aux couleurs froides derrière le canapé. Intrigué, tu t'en approches et tentes de l'écarter... mais il résiste. Tu tires un peu plus sur l'étoffe et découvres, stupéfait, qu'il dissimule une ouverture dans le mur.

Tu pousses le canapé et décides de t'engager dans l'étroit passage.

Le cœur battant la chamade, tu t'avances dans le corridor qui mène à un escalier descendant à la cave.

Prudemment, tu t'enfonces sans faire de bruit dans les entrailles obscures de la villa du docteur Lenoir.

Rendu au niveau inférieur, tu progresses le long d'un couloir quand des bruits de voix te parviennent. Pour être plus précis : une voix d'homme, qui chuchote par intermittence. Tu devines qu'il s'agit d'une conversation téléphonique. Malheureusement, tu ne distingues personne, pas même une silhouette. Mais tu es sûr que ce coup de fil a forcément un lien avec ce qui s'est passé ce soir. Pourquoi venir se cacher ici pour téléphoner si on est innocent ? La personne qui s'exprime à quelques pas de toi EST forcément l'assassin.

Si tu es persuadé d'en savoir assez pour aller au-devant de lui et le démasquer, rends-toi au 94.

Si tu penses qu'il est préférable de rester où tu es pour tenter d'en apprendre davantage, va au 68.

45

Non, tu ne peux pas interrompre ce moment de recueillement, ce partage de souvenirs. La mémoire du docteur doit être honorée.

Pour ne pas avoir l'air insensible, tu prends part à la conversation :

— La première fois que j'ai croisé le docteur, c'était à un match de rugby. Je jouais encore en équipe nationale et il était venu féliciter tous les joueurs dans les vestiaires. Il s'était joint à nous pour la troisième mi-temps ! Même que...

Tu t'arrêtes à temps ; la suite serait indécente et ces dames n'apprécieraient pas beaucoup. D'ailleurs, elles ne font aucun commentaire sur ton anecdote.

— C'était un homme au grand cœur, reprend Madame Pervenche, comme si tu n'avais rien dit. Il donnait énormément à des associations humanitaires...

Il est temps pour toi de passer à autre chose si tu veux faire avancer ton enquête. Tu peux rester au salon et souhaiter que la conversation des femmes bifurque sur un élément qui pourrait t'aider. Ou bien partir à la recherche d'informations ?

Si tu penses que les femmes peuvent spontanément t'apprendre quelque chose, va au 11.

Si tu décides d'aller à la chasse aux indices toi-même, file au 14.

Madame Leblanc te rejoint dans le couloir et vous décidez d'aller faire un point dans la salle à manger.

— Monsieur Olive est innocent ! déclare-t-elle, formelle.

— C'est aussi mon avis.

— Donc...

— Donc Monsieur Violet est notre coupable, conclus-tu.

— J'ai du mal à le croire, pourtant ça semble être une évidence.

— La question qui se pose maintenant, c'est comment le coincer et lui faire cracher le morceau ?

— Au salon, devant les autres, on n'a aucune chance de le faire avouer, affirme Madame Leblanc.

— Vous avez raison. Attirons-le ici ! Allez le chercher ! Moi, il ne me suivra pas car il sait que j'enquête.

Rendez-vous au 9.

Madame Leblanc te retrouve dans le salon et prend soin de ne pas s'asseoir à côté de toi pour ne pas éveiller les soupçons.

— Je viens d'informer ce pauvre Antoine que notre ami était décédé, déclare-t-elle à l'assemblée. Il est effondré !

Des murmures de compassion s'expriment çà et là.

— Comme c'est triste ! commente Madame Pervenche. Que va-t-il devenir ?

— Je commence à avoir très faim, intervient soudain Mademoiselle Rose en passant du coq à l'âne.

Madame Pervenche lui lance aussitôt un regard assassin. « Comment peut-on manquer d'éducation à ce point pour penser à manger chez un ami qui vient de trépasser ? » semble-t-elle se demander. Puis elle lève les yeux au ciel en signe d'exaspération, avant de se mettre debout et de quitter la pièce.

Tu échanges avec Madame Leblanc un regard légèrement paniqué. Que faire ?

Elle t'adresse un clin d'œil et sort à son tour. Tu l'interprètes comme voulant dire : « Je la suis ; rejoignez-moi si ça dure. »

 Compte jusqu'à 100 et va au 17.

48

Un bon enquêteur doit savoir écouter ses intuitions et s'y fier.

Tu ne saurais expliquer pourquoi mais tu sens qu'un danger rôde. Maintenant que tu formes un trio avec Mesdames Pervenche et Leblanc, tu penses que l'assassin ne va pas rester les bras croisés, lui non plus, à attendre que l'étau se resserre autour de lui. Il va passer à l'acte, d'une manière ou d'une autre…

— Le meurtrier se trouve au salon, dis-tu. On ne peut pas le laisser seul en présence de deux innocents. Il faut que vous retourniez rejoindre le groupe, toutes les deux.

— Mais pourquoi ? demande Madame Leblanc.

— Seul contre cinq, il ne tentera rien. Et rester groupés ici tous les trois nous expose : il pourrait comprendre ce que nous fabriquons et trouver un moyen de nous neutraliser plus facilement que si nous nous séparions.

— Et qu'allez-vous faire ? te demande Madame Pervenche.

— Je vais retourner cette pièce jusqu'à ce que je mette la main sur le nom de l'associé du docteur Lenoir.

— Allons-y ! s'exclame Madame Leblanc.

— Ne parlez surtout à personne de nos avancées ! ordonnes-tu. Mêlez-vous aux autres en arrivant et méfiez-vous de chacun !

Elles te quittent pour regagner le salon et te laissent seul.

Une tâche pénible t'attend. Par ailleurs, il se peut que les choses tournent mal. Très mal. Très très mal.

 Tu peux abandonner... ou aller au 39.

49

— Et si nous partions à la recherche de cette collection ? proposes-tu. Peut-être apprendrons-nous quelque chose de décisif ? Peut-être qu'une de ces armes a servi au meurtrier ?

Mesdames Pervenche et Leblanc acceptent de te suivre.

Vous faites rapidement le tour du bureau où vous ne trouvez rien qui pourrait ressembler de près ou de loin à ce que vous cherchez. Une collection d'armes se cache moins facilement qu'une collection de timbres ou de cartes Pokémon !

En revanche, la première armoire que tu ouvres dans l'observatoire te fait tressaillir. Derrière une deuxième porte en verre de protection sont exposées une bonne vingtaine d'armes à feu : revolvers, pistolets, fusils à pompe, fusils à canon scié, pistolets-mitrailleurs... Tout un arsenal à faire rêver un braqueur de banques, mais qui te fait froid dans le dos. Tu essaies d'ouvrir cette porte, mais une serrure la protège et, bien sûr, la clé brille par son absence...

Tu observes avec Madame Pervenche l'étonnante collection du docteur. Les armes sont disposées avec soin, suspendues à des crochets.

— Ça se verrait, s'il en manquait une, fais-tu remarquer.

— Absolument, acquiesce Madame Pervenche.

— En même temps, ajoutes-tu, si le tueur a accès à cette armoire, il peut très bien en choisir une et revenir la ranger après s'en être servi...

— Effectivement...

— Venez voir par ici ! vous interrompt soudain Madame Leblanc.

Pour savoir ce qu'a découvert Madame Leblanc, file au 31.

50

Tu prends le criminel en chasse. Armé de ton seul courage, tu t'engages dans le corridor sombre. Une infime lueur te permet de ne pas te cogner aux murs, mais tu te fies essentiellement aux bruits de pas du tueur pour ne pas perdre sa trace.

Ce passage est en fait un véritable labyrinthe. Tu ne cesses de tourner à gauche puis à droite, et encore à gauche... Soudain, une lueur plus franche te permet d'apercevoir la silhouette du tueur juste avant qu'il ne disparaisse dans une pièce éclairée. Tu parcours à la hâte les quelques pas qui te séparent de la porte et franchis le seuil. À cet instant, tu entends une légère déflagration et ressens une vive douleur au thorax. Tu distingues celui qui vient de te tirer dessus avec un pistolet muni d'un silencieux.

— Sale fouineur ! te lance-t-il.

— Vous ?! Monsieur... !

Mais tu n'as pas le temps de finir ta phrase. La souffrance est terrible et tes jambes ne te soutiennent plus. Tu t'écroules !

Il y a peu de chances que les amis du docteur aient entendu la détonation depuis le salon et qu'ils te portent secours.

L'assassin t'abandonne à ton triste sort et s'en va.

Tu as découvert qui était le meurtrier, mais ça t'a coûté la vie. C'est cher payé !

Dommage, tu as perdu ; pourtant
tu étais sur la bonne voie.
Pourquoi ne pas recommencer ton enquête
en étant un peu plus vigilant ?

51

La provocation n'a pas fonctionné. Aussi tu décides d'adopter un ton plus neutre.

— Très bien, Monsieur Violet, je vous ai un peu taquiné, ne m'en voulez pas !

Il te fixe de nouveau.

— Pourquoi ne pas nous dire simplement quelle était réellement la nature de vos relations avec le docteur Lenoir ? demandes-tu.

Il hésite à répondre. Pour la première fois de la soirée, il te paraît vulnérable. Tu sens qu'il va parler. Sans doute se dit-il qu'il vaut mieux coopérer, que son mutisme risque de l'accuser.

— Nous avions une relation d'amitié assez banale, finit-il par répondre. Nous nous voyions de temps à autre. J'avais beaucoup d'estime pour lui.

— Vous en aviez beaucoup pour son argent aussi ! intervient alors Madame Pervenche, qui n'arrive plus à contenir sa colère. Vous vous êtes associé avec lui pour monter une entreprise dont vous avez pillé les bénéfices, voilà la vérité !

Tu ne t'attendais pas à cette réaction de Madame Pervenche, et tu te sens débordé, doublé par ton propre camp. Mais on dirait que son coup de bluff fait de l'effet. Monsieur Violet reste bouche bée.

Puis c'est au tour de Monsieur Olive de frapper un nouveau coup.

— Le docteur m'a engagé pour enquêter sur vous, Monsieur Violet. J'ai beaucoup d'amis haut placés dans la finance et dans les affaires en général. Il se doutait que vous détourniez des fonds et voulait des preuves.

Décidément, la confrontation prend une tournure intéressante. Tu apprends des choses qui viennent confirmer votre thèse.

Monsieur Violet ressent la pression de tout le groupe. Il se décompose petit à petit.

Tu ne veux pas être en reste et portes l'estocade :

— Vous l'avez tué car vous étiez acculé. Vous avez pensé vous défaire de cette histoire embarrassante, mais vous n'avez fait que précipiter sa fin, et de la plus odieuse des façons !

Tous les regards sont tournés vers Monsieur Violet, guettant sa réaction. Mais il ne les supporte plus et s'effondre, prenant sa tête entre ses mains.

— Je suis désolé, lâche-t-il. Je ne voulais pas en arriver là. C'est un accident ! J'ai tenté de négocier avec lui, mais... il n'a rien voulu entendre. Je regrette...

C'est ce qu'on appelle une victoire totale. Tu peux remercier Madame Leblanc, Monsieur Olive et Madame Pervenche.

Ton équipe mérite des félicitations !

Bravo ! Grâce à vous, le crime
du docteur Lenoir a été élucidé.
Tu t'es comporté comme un enquêteur en chef !
Mais peut-être qu'il existe d'autres méthodes
pour résoudre cette énigme ?

52

Tu n'as plus qu'à attendre qu'il sorte une nouvelle fois de la pièce pour prévenir les autres.

Malheureusement l'occasion ne se représente pas avant l'arrivée des policiers...

Dès que ces derniers ont investi les lieux, tu prends l'inspecteur Lapipe à part et lui communiques tes déductions. Comme tu vois qu'il te regarde de haut et doute de tes déclarations, tu le conduis dans le passage secret où le poignard ensanglanté se trouve toujours.

— Très bien. Emballez-moi ça et envoyez-le au labo ! ordonne-t-il à l'un de ses assistants.

Tu enrages car Lapipe ne te prend toujours pas au sérieux.

Puis tu réfléchis et te dis que c'est normal : pour la police, tu n'es qu'un suspect parmi les autres, et c'est à eux de déterminer lequel d'entre vous est le coupable.

Ce qui compte, c'est que toi, tu saches que Monsieur Violet a tué le docteur Lenoir avec un poignard.

Tu as résolu l'enquête, sans l'aide de personne, et tu mérites des félicitations ! Tu t'es lancé dans une carrière de journaliste sportif, mais peut-être est-il temps de te recycler dans les enquêtes criminelles ?

Bravo ! Tu as découvert l'assassin
du docteur Lenoir. Mais il doit bien y avoir
un moyen de le faire arrêter ?
Tente de résoudre l'enquête par un biais
différent pour envoyer le meurtrier en prison !

Tu te retrouves face à cinq personnes que tu considérais, jusqu'à ce soir, comme des relations amicales. Néanmoins, l'une d'entre elles a commis un crime affreux. En attendant de découvrir de qui il s'agit, tu te méfies de toutes. « Prudence est mère de sûreté », dit le proverbe.

Malheureusement, tu ne peux pas voir le cadavre du docteur ; sa chambre est fermée. En revanche, rien ne t'empêche d'aller fouiner aux alentours de cette pièce. Qui sait, peut-être découvriras-tu un indice ?

Si tu penses que c'est dans cette partie de la villa que se cache la clé de l'énigme, va au 26.

Si découvrir l'arme du crime est la priorité des priorités, rends-toi au 102.

Madame Pervenche s'assied à la table de la salle à manger. Madame Leblanc prend place à côté d'elle. Toi, tu t'installes sur une chaise face aux deux femmes. Ton rôle est prédominant ; tu incarnes la force et la brutalité.

— Assez joué, Madame Pervenche ! grondes-tu en sortant la lettre de ta poche. Cette déclaration du docteur Lenoir vous place au premier rang des suspects. Pour la police, il ne fait même aucun doute que vous serez la coupable idéale. Si vous avez une preuve de votre innocence, ce qui me paraît assez peu probable, c'est le moment de la sortir !

Tu t'attends à ce que Madame Pervenche monte sur ses grands chevaux et qu'elle tente de te moucher avec une parade bien sentie, mais au lieu de ça, elle s'effondre. Elle prend sa tête à deux mains et éclate en sanglots.

— Mauvaise réaction, Madame Pervenche ! renchéris-tu. Vous ne vous en tirerez pas avec des larmes !

Madame Leblanc te lance un regard sévère, tu y es allé un peu trop fort.

— Calmez-vous, Madame Pervenche, lui souffle-t-elle avec plus de compassion que tu n'en as montré. Confiez-nous ce que vous savez et tâchons d'avancer.

Mais ces paroles ont sur la suspecte l'effet inverse de celui escompté : ses pleurs redoublent d'intensité. Pire : sa crise de larmes se transforme en une véritable crise de nerfs ! Elle se met à hurler qu'elle aimait le docteur. Puis elle se lève et tire la nappe à elle d'un geste sec. Toute la vaisselle dégringole et se brise sur le carrelage dans un fracas assourdissant.

Madame Leblanc tente de la faire rasseoir quand Antoine ouvre la porte.

— Que se passe-t-il ?

— Ce n'est rien, le rassures-tu. Madame Pervenche a eu un petit malaise. Laissez-nous, je vous prie.

Le majordome obéit et retourne à la cuisine. Madame Pervenche ne s'est pas calmée, aussi Madame Leblanc prend-elle dans son sac à main un tube de médicaments. Elle en sort un qu'elle tend à l'autre femme avec un verre d'eau.

Cette dernière avale le comprimé sans résister et l'effet ne tarde pas à se faire ressentir. Ses paupières semblent s'alourdir, ses sanglots restent au fond de sa gorge, puis elle se laisse brutalement tomber sur sa chaise.

— Il faut aller la coucher, elle va s'endormir, prédit ta partenaire.

Tu l'aides à escorter Madame Pervenche jusqu'à la chambre d'amis.

À peine est-elle allongée sur le lit que Madame Pervenche s'endort.

— Plutôt costaud, votre comprimé ! lui dis-tu. Le genre de pilule que j'aurais bien aimé glisser dans les bouteilles d'eau de mes adversaires avant les matches difficiles !

Tu fais le malin, mais tu as perdu. La seule personne capable de vous faire progresser dans votre enquête n'ouvrira plus l'œil avant l'arrivée de la police.

La prochaine fois que tu emploies
la manière forte, sois peut-être plus modéré.
Tente à nouveau ta chance de résoudre
l'enquête.

55

— M ais vous êtes fou ! se défend Monsieur Violet.

Cinq paires d'yeux se tournent vers lui.

— L'accusation peut vous paraître gratuite, poursuis-tu, mais nous allons vous expliquer notre raisonnement et vous constaterez par vous-même qu'il est tout sauf fou !

Madame Leblanc, Madame Pervenche, Monsieur Olive et toi exposez alors la thèse qui vous a conduits jusqu'à cette conclusion. La démonstration est si habile, si irréfutable que Monsieur Violet pâlit au fur et à mesure que le nombre de suspects diminue.

Lorsque vous en avez terminé, Monsieur Violet semble résigné et totalement abattu. La pression du groupe est trop forte, et votre accusation trop solide.

Il baisse la tête et tu le sens prêt à vider son sac. Tu décides d'enfoncer le clou et, par la même occasion, de transformer l'essai.

— Serait-ce trop vous demander que de nous préciser avec quelle arme vous avez commis votre crime ?

— Avec un poignard trouvé dans l'observatoire.

Madame Pervenche bout intérieurement. On la sent prête à bondir sur lui pour lui déchiqueter le visage avec ses ongles.

— Pourquoi l'avez-vous tué ? demande-t-elle, les lèvres serrées, en refoulant ses envies de vengeance.

— J'avais secrètement emprunté beaucoup d'argent à notre société. J'étais incapable de le rendre et il était sur le point de le découvrir... Je ne sais pas ce qui m'a pris...

Ce qui est sûr, c'est ce qu'il va bientôt prendre : de la prison à vie !

Joli travail ! On peut dire que ton association avec Madame Leblanc a porté ses fruits. La récolte est magnifique ! Tu as trouvé le nom du coupable, l'arme et le mobile du crime. Bravo !

Tu pars du principe qu'il est impossible de garder son sang-froid après avoir tué quelqu'un. L'assassin a certainement eu un moment de panique quand il a réalisé ce qu'il venait de faire.

Il lui fallait à la fois se séparer de l'arme du crime, retrouver une contenance et vite rejoindre les autres amis du docteur avant d'éveiller leurs soupçons.

Tu en déduis que le poignard se trouve à coup sûr à proximité immédiate de la chambre du docteur. Tu décides donc de t'y rendre.

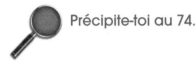 Précipite-toi au 74.

En sport, comme dans n'importe quelle autre discipline, tu as toujours pensé qu'il fallait se méfier des autres.

Ce soir, il faut certainement être encore plus prudent avec une comédienne. Qui, mieux qu'une actrice, manie l'art du mensonge ?

Tout compte fait, tu n'es pas mécontent d'avoir écarté l'offre de Madame Leblanc. De plus, tu te dis après coup qu'elle cherchait peut-être à se faire un peu de publicité. Si vous aviez réussi à élucider l'affaire tous les deux, elle serait allée pérorer devant les caméras de télévision et se serait vantée d'avoir tout fait seule sans aucun scrupule.

Bon débarras !

« Agissons seul ! » décides-tu.

Tu reprends la direction du salon quand tu croises Monsieur Olive dans le couloir.

— Où allez-vous ? lui demandes-tu.

— Aux toilettes, pourquoi ? Il faut un laissez-passer ?

Sans attendre ta réponse, il te bouscule d'un coup d'épaule pour continuer son chemin.

— Une petite minute ! ajoutes-tu. Est-ce que le majordome... ?

Mais il t'ignore et s'enferme dans les toilettes.

Un peu décontenancé, tu rejoins les autres dans le salon. Comme plus tôt dans la soirée, personne ne réagit à ta présence. Madame Pervenche et Monsieur Violet papotent à voix basse sur le canapé, Madame Leblanc feuillette un magazine de mode, quant à Mademoiselle Rose, elle a mis un casque sur ses oreilles et semble écouter de la musique. Ses yeux sont clos.

Tu t'assieds sur une chaise et il ne s'écoule pas deux minutes avant que Monsieur Olive ne revienne s'asseoir auprès de Mademoiselle Rose.

Tu toussotes pour attirer l'attention des autres convives et te lances :

— Est-ce que l'un d'entre vous a vu le majordome avant qu'il ne sorte faire une course ?

Personne ne t'adresse un regard, pas une tête ne se tourne, pas un sourcil ne se lève. L'affront total ! À croire que tu es devenu transparent !

Tu es pourtant persuadé d'avoir posé une question claire.

Comment interpréter ce mutisme général ? S'agit-il d'un acte délibéré des invités du docteur Lenoir ?

Pour tenter d'en avoir le cœur net, tu décides de t'adresser à chacun, individuellement.

— Madame Pervenche, vous avez vu le majordome ce soir ?

Elle continue de fixer Monsieur Violet tout
en échangeant avec lui des paroles que tu ne
parviens pas à entendre. Tous deux t'ignorent
royalement !

— Monsieur Olive, avez-vous croisé le majordome en arrivant ici ?

— Fichez-nous la paix, Moutarde ! Vous
voyez bien que vous ennuyez tout le monde
avec vos questions...

Tu perds patience.

— Madame Pervenche, répondez-moi, je
vous prie ! t'emportes-tu.

Mais elle ne fait aucun cas de toi, elle non plus.
Furieux, tu te lèves et te diriges vers Mademoiselle Rose. Tu lui arraches ses écouteurs et
t'écries :

— Mademoiselle Rose ! Vous voulez bien me
répondre ?

— Mais il est dingue ! s'offusque-t-elle. Pour
qui il se prend ?

Il ne reste plus que Madame Leblanc à interroger. Celle-ci fait semblant d'être captivée par
un article de son magazine.

— Madame Leblanc, vous n'allez pas rester
muette, vous aussi ? Pas vous ?

— Nous nous sommes tout dit tout à l'heure, Monsieur Moutarde ! Je n'ai rien à ajouter.

Et toi, qu'as-tu à ajouter face à cette hostilité collective ? Ne déduis-tu pas quelque chose ?

Bien sûr : Madame Leblanc s'est empressée de parler aux autres avant ton retour dans le salon. Elle était tellement vexée que tu refuses son aide qu'elle t'a dénigré auprès des autres afin qu'ils refusent de coopérer. Peu importe ce qu'elle leur a dit, il est évident que tu as perdu toute crédibilité.

Résultat : plus personne ne veut t'adresser la parole.

Tu n'as pas le choix. Tu es condamné à attendre avec les autres l'arrivée de la police.

Ce n'est pas aujourd'hui que ta carrière de détective démarrera ! Tu ne pourras pas venger ton ami le docteur Lenoir en démasquant son meurtrier. Mais que se serait-il passé si tu avais fait d'autres choix ?

58

Vous restez cachés derrière la porte du bureau dans l'espoir d'apprendre autre chose mais vous êtes sans doute un peu trop gourmands.

Ton sourire se fige rapidement car votre suspecte semble vouloir quitter la pièce. Vous déguerpissez aussi vite que possible et vous vous réfugiez dans la salle à manger qui se trouve juste à côté.

Ouf ! Elle ne vous a pas vus.

Vous vous croyez tirés d'affaire mais, par malheur, le bas de ton jean accroche le pied d'un guéridon sur lequel trône un cendrier en aluminium. L'objet tombe au sol dans un grand fracas.

Aussitôt, Madame Pervenche passe sa tête dans l'embrasure de la porte.

— Je vois qu'on m'espionne, dit-elle.

Il serait mal venu de nier. C'est aussi ce que doit penser ta coéquipière puisqu'elle ne contredit pas non plus Miss Pète-sec.

— Suivez-moi ! vous ordonne cette dernière.

Sans comprendre où elle veut en venir, vous lui emboîtez le pas.

Elle retourne dans le bureau et s'arrête devant un secrétaire en merisier. Elle ouvre un tiroir et en sort une lettre.

— C'est ça qui vous intéresse ? demande-t-elle en brandissant l'enveloppe.

Là encore, vous ne répondez rien.

Elle se dirige alors vers la cheminée et la jette dans les flammes.

Tu voudrais protester mais ça ne sert à rien : il est trop tard.

Vous ne saurez jamais ce que contenait cette enveloppe.

Plus grave : votre crédibilité est ruinée et vous êtes démasqués. La réaction de Madame Pervenche vous conforte dans l'idée qu'elle est coupable, mais vous n'avez plus aucune possibilité de le prouver, car à partir de cet instant elle se ferme comme une huître.

Tu as perdu.
La prochaine fois que tu sors pour mener une enquête, au lieu de mettre un jean baggy, enfile plutôt un slim.

59

Arrivé devant la porte de la salle à manger, tu frappes discrètement. La réaction de Madame Leblanc te fera comprendre si tu es le bienvenu ou pas.

— C'est moi ! dis-tu simplement.

— Entrez, Monsieur Moutarde ! répond ta coéquipière.

Comme tu ne décèles aucune contrariété dans sa voix, tu entres.

Les deux jeunes femmes t'accueillent avec le sourire. Tu en déduis que la conversation se déroule dans de bonnes conditions.

Madame Leblanc a mis Madame Pervenche au courant de votre association et te fait un bref résumé de l'épisode que tu as manqué :

— Le docteur Lenoir et Madame Pervenche devaient se marier prochainement...

Tu hésites entre félicitations et condoléances ; finalement tu préfères te taire.

— Nous tenions à rester discrets avant d'officialiser les choses, précise Madame Pervenche.

— Pourquoi cela ? demandes-tu.

— C'était une exigence de sa part.

— Connaissiez-vous ses motivations ?

— Ses affaires n'étaient pas très florissantes, dernièrement. Je pense qu'il trouvait malvenu d'annoncer son mariage en pareilles circonstances, vis-à-vis de ses collaborateurs. D'ailleurs...

Madame Pervenche interrompt sa phrase. Une vague d'émotion l'empêche de parler.

Tu fais un signe discret à Madame Leblanc pour qu'elle prenne le relais, comme tu passerais le ballon à un ailier pour qu'il aille l'aplatir derrière la ligne blanche.

— D'ailleurs... ? répète ta partenaire d'une voix douce.

 Rends-toi au 34.

60

— Je le sens bien, dis-tu. J'ai envie de l'interroger seul, ici, en tête à tête, les yeux dans les yeux ! Entre hommes !

— Ça n'est pas très prudent, fait observer Madame Leblanc. Il s'est montré violent avec le docteur Lenoir, il pourrait récidiver.

— Il y a une différence de taille, répliques-tu. Moi, j'y suis préparé et je l'aurai à l'œil ! Sans compter que je n'ai pas l'âge qu'avait le docteur et j'ai une excellente forme physique.

— Les muscles n'arrêtent pas les armes, quelles qu'elles soient ! intervient Madame Pervenche.

Décidément, elles se font du souci pour toi, et ça te touche. Mais tu veux les rassurer.

— Ne vous inquiétez pas, Monsieur Violet ne me fait pas peur ! J'ai plaqué des gars de cent vingt kilos en pleine course, alors vous n'imaginez quand même pas qu'un gringalet à lunettes puisse me résister !

— Très bien, conclut Madame Pervenche en se levant. Retournons au salon, on vous envoie le gringalet !

Madame Leblanc lui emboîte aussitôt le pas.

— Soyez rassuré, j'ai toujours du désinfectant et du sparadrap dans mon sac ! te lance-t-elle avec un petit sourire moqueur.

 File au 30.

Monsieur Violet t'a paru sincère. Il a eu l'air embarrassé et il a un peu bafouillé, certes, mais la soirée est éprouvante pour tout le monde. Après tout, c'est normal d'être tendu. Il y a eu un mort, un assassin rôde parmi vous... autant de bonnes raisons de réagir de façon inhabituelle.

En tout cas, ton intuition te dicte que Monsieur Violet ne t'a pas menti. Par conséquent, en suivant ton raisonnement, Monsieur Olive est donc l'assassin du docteur Lenoir.

Si, fort de ces déductions, tu décides d'affronter Monsieur Olive, va au 36.

Si tu préfères lui tendre un piège, va au 77.

Réflexion faite, cette information n'est pas capitale. Cette histoire de collection pourrait devenir digne d'intérêt si tu parvenais à mettre un nom sur l'assassin sans réussir à établir avec quelle arme il est parvenu à ses fins. Mais vous n'en êtes pas là.

Votre nouvelle hypothèse est qu'il reste trois suspects possibles, puisque Mesdames Pervenche et Leblanc et toi-même êtes innocents. Qui donc de Mademoiselle Rose, de Monsieur Violet ou de Monsieur Olive est le coupable ? Voilà la véritable question à se poser.

Madame Leblanc pencherait intuitivement pour Monsieur Violet, sans pouvoir l'expliquer. Madame Pervenche, elle, a un pressentiment : Monsieur Olive ferait à son avis un parfait coupable. Toi, tu t'appuies uniquement sur les faits, et aucun élément ne te permet pour le moment d'émettre le moindre pronostic.

Vous êtes toujours attablés tous les trois dans la salle à manger et vous vous creusez les méninges.

— Il faut prendre une décision, déclares-tu. Si on reste trop longtemps à l'écart du groupe, ça risque d'éveiller les soupçons de l'assassin.

— Interrogeons-les tous les trois, un par un ! suggère Madame Leblanc.

— D'accord. À condition de rester très prudents ! La moindre erreur pourrait ruiner la suite de notre enquête.

— Non, te contredit Madame Pervenche. Nous devons déterminer qui est le coupable le plus probable et nous focaliser sur celui-là. Parce que si nous nous trompons de cible, celui que nous aurons questionné en parlera aux deux autres, et c'en sera fini de nos chances de démasquer l'assassin avant l'arrivée de la police.

Vous tournez en rond et tu commences à t'impatienter.

— Oui, mais alors qui interroger ?

Si vous vous mettez d'accord pour interroger Mademoiselle Rose, va au 41.

Si vous pensez que Monsieur Violet est le coupable, va au 15.

Si Monsieur Olive vous semble correspondre au profil de l'assassin, va au 100.

63

— Je dirais même plus, conclut Madame Leblanc, cette lettre constitue une preuve. Leur liaison devenait trop embarrassante pour Madame Pervenche et elle a opté pour la solution la plus radicale qui soit pour y mettre un terme : elle a assassiné l'homme qui l'aimait. La garce !

Tu es d'accord avec ta partenaire.

— On peut dire qu'elle nous a bien bernés avec ses airs de sainte-nitouche et ses manières de bourgeoise d'un autre âge. Tu parles !

— Comment est-ce qu'on procède, maintenant ? demande Madame Leblanc.

— Eh bien, puisque nous sommes tous les deux convaincus de sa culpabilité, il est inutile de poursuivre nos recherches. Je propose qu'on l'enferme en lieu sûr jusqu'à l'arrivée de la police.

— Monsieur Moutarde, nous devrions songer à créer une agence de détectives privés, tous les deux. Le monde entier ferait appel à nous !

— En attendant, conservez précieusement notre pièce à conviction et retournons au salon.

— Vous êtes tout à fait charmant dans ce rôle d'enquêteur.

On dirait que Madame Leblanc te fait du rentre-dedans mais tu es investi d'une mission : il te faut donc garder les pieds sur terre.

 Va au 71.

Tu n'as pas l'intention de rester les bras croisés. La meilleure défense étant l'attaque, tu fais comprendre aux invités du docteur que tu entends bien identifier son meurtrier.

— L'assassin se trouve forcément parmi nous, enfin... parmi vous ! déclares-tu. Et, aussi sûr que cinq et deux font sept, au rugby comme ailleurs, je l'aurai démasqué avant l'arrivée de la police !

À peine as-tu terminé ta phrase que tu entends claquer la porte d'entrée de la villa.

— Qui est-ce ? t'interroges-tu en sursautant.

Pour le savoir, lève-toi et va au 38.

— J'ai pensé que vous aimeriez connaître l'existence de ceci ! souffle Madame Pervenche en tendant une enveloppe bleue à Madame Leblanc.

— Qu'est-ce que c'est ? demandes-tu.

— Une lettre d'huissier, répond celle qui aurait dû épouser le docteur Lenoir si...

Madame Leblanc l'ouvre et prend connaissance de son contenu.

— Le docteur Lenoir était couvert de dettes, résume ta partenaire. Sans un remboursement rapide de sa part, ses biens auraient été saisis par la justice.

Intérieurement, tu remercies et félicites Madame Leblanc qui a drôlement bien manœuvré pour obtenir ce scoop. Un sans-faute de sa part.

— Il ne s'agit pas que des biens en son nom propre, précise Madame Pervenche. Ceux de sa société sont également concernés.

— Sa société ? demandes-tu.

— Le docteur Lenoir a monté une petite entreprise il y a quelques années avec un associé. Ils ont gagné beaucoup d'argent au début. Et ensuite, de moins en moins...

— C'est comme dans le sport de haut niveau.

Je sais de quoi je parle... Qui était son associé ?

Madame Pervenche secoue la tête, désolée de ne pouvoir te renseigner.

— Il n'était pas très bavard au sujet de ses affaires. Il souhaitait que je reste en dehors. Et je dois avouer que je ne lui ai jamais posé la question.

Votre enquête progresse à pas de géant, mais on est encore loin de la résolution de l'énigme. À présent, il te faut absolument découvrir l'identité de ce mystérieux associé.

 Si tu sens que la situation devient trop dangereuse et que tu te portes volontaire pour continuer à agir seul, va au 48.

Si tu penses que Madame Pervenche n'a pas tout dit et qu'il est nécessaire de l'interroger encore, va au 23.

Si tu crois que le nom de l'associé de Lenoir se trouve dans ce bureau et qu'en unissant vos forces, à trois, vous le trouverez, va au 98.

66

Tu te précipites jusqu'à la cuisine et colles ton oreille contre la porte afin de capter quelques paroles qui pourraient trahir ton associée.

Mais tu te retrouves en fâcheuse position car elle s'ouvre brusquement !

— Qu'est-ce que vous faites là ? te demande sèchement Madame Leblanc.

Aïe ! Tu ne sais pas quoi répondre et te mets à bafouiller lamentablement.

— Vous n'avez pas confiance en moi ? insiste-t-elle, comme si son amour-propre en avait pris un sérieux coup.

— Bien sûr que si, mens-tu. Simplement, j'ai cru entendre une voix inconnue... alors j'ai voulu m'assurer que je ne me trompais pas avant d'entrer. On n'est jamais trop prudent, vous savez. N'oubliez pas qu'un assassin rôde dans cette maison et qu'au moindre faux pas, on peut se retrouver deuxième sur la liste des victimes...

Tu t'en tires plutôt bien. Madame Leblanc n'est peut-être pas entièrement convaincue, mais tu as globalement rattrapé ta bourde.

— Et ce café ? enchaînes-tu pour clore le débat.

— Le majordome viendra nous le servir au salon.

Tu lui suggères alors de mettre au point une nouvelle initiative.

— Profitons que nous soyons à l'écart pour nous concerter sur la première personne à interroger, dis-tu.

— Vous avez raison, Monsieur Moutarde.

Conscient que tu n'as pas été très pertinent pour l'instant, tu la laisses proposer quelque chose.

Elle réfléchit en ajustant une épingle dans son chignon.

— Ça me revient ! s'exclame-t-elle. Madame Pervenche a quitté le salon avant que le docteur Lenoir ne se retire dans sa chambre. Elle n'a pas dit pourquoi. Il serait peut-être intéressant qu'elle s'explique là-dessus.

— Parfait ! répliques-tu. Allons l'interroger !

Regagne le salon au 95.

Au détour d'une réponse à une question banale, Madame Pervenche mentionne que le docteur Lenoir collectionnait les armes.

— Les armes ? répètes-tu en sursautant. Quelle sorte d'armes ?

— Je ne sais pas, répond-elle. Je n'y connais rien.

— Savez-vous où il les rangeait ?

— Je suppose qu'elles doivent se trouver dans l'observatoire ou dans son bureau...

Si tu es convaincu que cette information est primordiale, va au 49.

Si tu penses au contraire qu'elle est secondaire, va au 62.

« **P**rudence ! te dis-tu. Qui sait comment cet homme réagirait s'il découvrait ma présence ? »

Tu restes donc à couvert et ouvres grand tes oreilles. En mettant tes mains en pavillon derrière tes oreilles, tu parviens à capter des bribes de sa conversation téléphonique :

— ... Lenoir... ce soir... arrivé... mon associé... je ne pense pas... couloir de la chambre... enragé... bagarre... ne voulais pas... Ça a mal tourné... pas quoi faire... m'aider ?

Si tu avais besoin d'une preuve supplémentaire, la voilà ! Cet homme est bien l'assassin de Lenoir. Est-ce Monsieur Violet ou Monsieur Olive ? Il murmure plus qu'il ne parle et tu ne réussis pas à identifier sa voix.

Soudain, tu l'entends saluer son interlocuteur et raccrocher, avant de se remettre à marcher. Tu te colles contre le mur et retiens ton souffle. S'il vient dans ta direction, tu es fichu !

Heureusement, il prend la direction opposée : ses pas s'éloignent. Il y a donc une autre issue à cette cave. Ne s'agirait-il pas plutôt d'un passage secret pour aller d'un point à un autre de la villa ?

Tu respires profondément et réfléchis.

Si tu ne veux pas qu'il t'échappe, suis-le au 50.

Si tu préfères examiner les lieux plutôt que de le suivre, va au 5.

69

Monsieur Olive entre dans la salle à manger, la mine peu réjouie. Madame Leblanc l'invite à s'asseoir.

Tu veux le déstabiliser d'entrée de jeu et ne pas le laisser respirer.

Prêcher le faux pour savoir le vrai est une méthode qui a fait ses preuves. Tu décides donc de l'employer.

— Vous êtes dans de sales draps, Monsieur Olive ! lances-tu de but en blanc.

Ton interlocuteur baisse les yeux.

— C'est tout ce que vous avez à dire pour votre défense ? demandes-tu.

Monsieur Olive cherche ses mots.

Tu te dis que ton engagement est particulièrement réussi et que la moitié du chemin est faite. Sa défense est en déroute et le break n'est pas loin.

Tu le fixes intensément tandis qu'il s'enfonce dans le mutisme en évitant ton regard.

— Monsieur Moutarde, intervient Madame Leblanc, laissez-moi seule avec Monsieur Olive, s'il vous plaît.

Si tu acceptes, va au 40.

Si tu refuses, va au 76.

70

Tu toussotes pour attirer leur attention, puis tu te penches vers elles.

— Mesdames, dis-tu à voix basse pour ne pas alerter Messieurs Olive et Violet. J'ai réfléchi toute la soirée et j'ai beaucoup avancé dans mes déductions.

Elles te regardent comme si tu parlais chinois.

— Il se trouve que l'assassin est l'un des deux hommes assis à l'autre bout de cette pièce, poursuis-tu. Mais j'ignore encore lequel. Auriez-vous une idée ? Une piste... ?

Madame Leblanc te lance un regard supérieur, comme si elle te maudissait d'oser interrompre leur cérémonie de commémoration.

Mademoiselle Rose t'ignore royalement. Quant à Madame Pervenche, si elle pouvait te gifler, elle ne s'en priverait pas.

— Votre attitude est inqualifiable, Monsieur Moutarde ! Vous croyez réellement que c'est le moment de jouer au détective ? Respectez la douleur des autres, je vous prie !

Son éclat de colère est tel que les deux hommes se tournent vers vous.

— Que se passe-t-il ? demande Monsieur Violet.

— Rien du tout ! fais-tu en te levant.

Pour couper court aux questions embarrassantes, tu vas t'asseoir à côté de lui et tu lui proposes une pastille à la réglisse.

Le calme revient et tu te rends à l'évidence : tu n'obtiendras rien des femmes et tu as failli te faire griller auprès du coupable. Tu n'as plus qu'à attendre l'arrivée de la police.

Tu n'as pas tout perdu puisque tu as trouvé l'arme du crime, mais le doute reste entier quant à l'identité de l'assassin. Monsieur Olive ? Monsieur Violet ? Mystère.

Es-tu sûr d'avoir épuisé toutes les solutions possibles pour résoudre cette enquête ? Et si tu recommençais depuis le début ?

Vous revoilà réunis tous les six dans le salon.

L'affrontement entre Monsieur Olive et Madame Pervenche se termine par un échec et mat de l'initiateur de la partie.

« Décidément, te dis-tu, ce n'est pas le jour de Madame Pervenche. »

Vexée, cette dernière félicite son adversaire, comme le veut la bienséance, et s'isole dans un fauteuil. Madame Leblanc et toi pouvez mettre en application la stratégie que vous avez échafaudée dans le couloir.

— Madame Pervenche, l'interpelle ton associée. Antoine m'a chargée de vous dire qu'il aimerait s'entretenir avec vous en privé. Il vous attend dans la salle de projection.

Elle affiche un air étonné mais n'en demande pas davantage et quitte le salon.

C'est à toi de jouer maintenant !

 Suis la coupable au 42.

Tu as beau être un ancien joueur de rugby, sport collectif par excellence, quelque chose te dit que la mission que tu t'es fixée ne peut s'accomplir qu'en solitaire.

Si tu as décidé de mener cette enquête en attendant que la police arrive, c'est parce que tu as face à toi cinq personnes et qu'il est clair que l'une d'entre elles est coupable d'un meurtre. Peut-être es-tu le prochain sur la liste ? Tant que le mobile du crime reste inconnu, cette question mérite d'être posée. Et comme tu es du genre à prendre le taureau par les cornes...

En acceptant l'offre de Madame Leblanc, tu la retirerais automatiquement de ta liste de suspects. Pourtant, rien ne te prouve que ce n'est pas elle qui a éliminé le docteur Lenoir.

Et si c'était une ruse de sa part pour écarter les soupçons que tu pourrais avoir à son sujet ?

— Madame Leblanc, lui réponds-tu, je n'ai aucune raison de douter de votre loyauté ou de votre intelligence, mais donnez-moi une seule bonne raison pour que j'accepte votre aide.

Elle te toise, choquée par ta réaction.

— Vous me décevez beaucoup, Monsieur

Moutarde. Mais je vais tout de même vous répondre : j'aime la vérité ! Toute ma vie je n'ai fait que rechercher la vérité, avec courage et ténacité !

— Écoutez, Madame Leblanc, nous ne sommes pas au théâtre ni sur un plateau de tournage, alors épargnez-moi vos répliques toutes faites, je vous prie.

— Oh ! lâche-t-elle. Vous n'êtes qu'un mufle !

— Merci pour votre aide, toutefois je crois que je vais m'en passer.

Son menton se met à trembler et tu as peur qu'elle n'éclate en sanglots. Mais tu te trompes sur ses émotions.

— Vous n'êtes qu'un journaliste minable doublé d'un sportif raté ! te lance-t-elle avant de tourner les talons.

 Après t'être remis de tes émotions, tu retrouves les autres au salon au 57.

73

Tu as très bien manœuvré jusque-là : un sans-faute ! Tu décides de ne pas gâcher ça.

Tous les protagonistes sont dans la pièce, tu as déterminé qui était le coupable et avec quelle arme il avait commis son crime.

Bien sûr, tu meurs d'envie de crier tes déductions à la cantonade, mais ce ne serait pas prudent.

Pour parer à toute éventualité avant l'arrivée de la police, tu sors une dernière fois discrètement du salon pour te rendre sur le parking. À l'aide de ton couteau suisse, tu crèves un pneu de la voiture de Monsieur Violet et reviens tranquillement te fondre dans le groupe. Même si le meurtrier était tenté de fuir, il ne le pourrait plus.

Bravo ! Tu as gagné ! Tu dois cette victoire à ton sang-froid, à ton intuition et à ta vigilance !

FIN

Félicitations ! Tu as mené cette enquête comme un vrai professionnel. Mais il existe sûrement d'autres moyens de démasquer le coupable ; et si tu recommençais ?

74

La porte de la chambre du docteur est fermée à clé. Ce n'est
pas une surprise ; tu t'y attendais.

Tu ouvres nerveusement tous les tiroirs d'une
commode placée dans le couloir. L'arme que
tu cherches n'y est pas.

Tu reviens sur tes pas car tu as remarqué une
plante verte en chemin. Tu fourres tes doigts
dans la terre, tu la retournes tant que tu peux...
en vain.

Puis tu avises un grand tableau accroché sur
un mur. Tu passes une main dessus, tu le
soulèves légèrement pour t'assurer qu'il ne
recouvre pas une cachette. Rien.

Tu réfléchis à un autre endroit où l'assassin
aurait pu, dans sa précipitation, se débarrasser
de l'objet incriminant. Tu es plongé dans tes
pensées quand tu sens dans le bas de ton dos
une lame glacée pénétrer tes chairs !

Tu pousses un hurlement de douleur et
t'effondres.

D'une certaine façon, tu as retrouvé l'arme
du crime… ! Mais tu n'as pas gagné pour autant
puisque tu n'as pas démasqué le meurtrier. Et
surtout, tu es particulièrement mal en point.

Pourquoi ne pas recommencer
ton enquête en faisant des choix plus judicieux,
tout en surveillant mieux tes arrières,
en bon rugbyman que tu es ?!

75

Tu t'en remets à l'analyse de Madame Leblanc.

Madame Pervenche et toi allez vous repositionner face à l'armoire où sont exposées les armes à feu pour réfléchir encore.

Pendant ce temps, ta partenaire va chercher en cuisine de quoi se désaltérer.

Mais elle a tout juste refermé la porte de l'observatoire que vous l'entendez hurler.

Tu te précipites… Trop tard ! Tu la découvres sans vie, allongée comme un pantin désarticulé dans le couloir sombre.

Tu relèves la tête et te trouves nez à nez avec son assassin, qui brandit un poignard ensanglanté. Il te fonce dessus et tu lis dans son regard qu'il a d'autres projets que celui de te serrer dans ses bras pour pleurer la mort de Madame Leblanc.

Tu as beau avoir découvert l'identité du meurtrier du docteur Lenoir et l'arme qu'il a utilisée, il te reste bien peu de temps pour savourer ta victoire et, surtout, pour en faire part à qui que ce soit.

Tu as fait des choix judicieux, puisqu'ils t'ont conduit au meurtrier. Et tu en as fait d'autres moins bons, puisqu'ils t'ont mené à ta perte ! Tente à nouveau de découvrir le coupable, en restant plus prudent cette fois-ci !

76

Tu refuses catégoriquement de laisser ta partenaire prendre les rênes de l'enquête. C'est toi qui l'as initiée et c'est toi qui la termineras.

— C'est hors de question ! réponds-tu sèchement.

Madame Leblanc te lance un regard noir.

— Vous ne me faites pas confiance ?

— Prenez-le comme vous voulez !

— Votre attitude est puérile, Monsieur Moutarde.

Monsieur Olive vous observe du coin de l'œil. Il doit certainement penser que la situation devient grotesque.

Tu enrages car les choses avaient bien démarré. Tu en veux terriblement à Madame Leblanc d'être intervenue. Néanmoins, tu essaies de poursuivre l'interrogatoire.

— Monsieur Olive, il est temps de vous confier. Nous sommes vos amis, nous pouvons entendre certaines choses. Les policiers seront bien moins indulgents.

Ton interlocuteur se lève.

— Fichez-moi la paix ! Je suis innocent et j'ignore qui est le coupable. Et surtout : je n'ai aucun compte à vous rendre.

Sur ces paroles, Monsieur Olive quitte la salle à manger, vous laissant, Madame Leblanc et toi, aussi furieux l'un que l'autre.

— Vous êtes contente ?

— C'est vous qui avez tout fait rater !

— Je le tenais avant que vous n'interveniez !

Madame Leblanc lève sa main, comme si elle voulait te coller une gifle.

— Vous êtes ridicule ! Vous ne comprenez rien ! Il n'est sans doute pas le coupable, mais il sait quelque chose que nous ignorons. Si vous m'aviez laissée seule avec lui, j'aurais fait en sorte qu'il se confie à moi. Vous ne connaissez que la manière forte, vous êtes un rustre !

Qui a tort, qui a raison ?

Tu le sauras sans doute plus tard, quand la police aura fait son travail.

En attendant, votre mauvaise entente a réduit à néant tous vos efforts. Tu as perdu.

Tu ne vas quand même pas abandonner si près du but ? Recommence l'enquête, tu finiras bien par démasquer le coupable !

77

Savoir que Monsieur Olive est l'assassin du docteur Lenoir te glace le sang. Tu n'oses pas l'affronter, de peur de sa réaction. En même temps, tu aimerais bien le neutraliser, des fois qu'il ait envie de récidiver.

Une idée te vient à l'esprit : et si tu lui tendais un piège ?

Tu fonces à la cuisine et remplis deux verres de whisky, une boisson d'hommes. Tu écrases quatre somnifères dans l'un d'eux – tu sais que le docteur Lenoir avait parfois du mal à s'endormir et gardait une boîte de secours dans le placard au-dessus de l'évier.

Tu te dépêches d'aller au salon avant le retour de Monsieur Violet et tends le verre piégé à Monsieur Olive qui est en train de somnoler.

— J'ai trouvé ce nectar de vingt-cinq ans d'âge dans la cuisine, annonces-tu. Ça nous fera le plus grand bien !

Il ne se fait pas prier et avale cul sec la moitié du contenu. Tu sirotes le tien en t'extasiant sur la boisson :

— Mmmm ! Quel délice !
Puis tu guettes ses réactions.

 Pour les connaître, va au 8.

78

Tu es à peu près sûr de ton coup. Ce petit interrogatoire est une formalité qui ne te fait pas peur.

Tu te retrouves donc dans la salle à manger avec Madame Pervenche qui se demande bien pourquoi tu l'as attirée là.

— J'attends vos explications, Monsieur Moutarde ! te lance-t-elle comme l'aurait fait une institutrice à un élève au début du siècle dernier.

Tu t'apprêtes à la prendre de haut quand tu vois débouler Madame Leblanc dans la pièce, brandissant la fameuse lettre. Haletante et affolée, elle te tend votre preuve.

— Vous avez oublié de la prendre, lâche-t-elle.

Il faut avouer que c'est assez maladroit de la part de ta partenaire car, face à votre confusion, Madame Pervenche a tout le loisir de comprendre ce qui se passe et de préparer sa riposte.

Elle reconnaît immédiatement qu'il s'agit de l'enveloppe qu'elle a cachée dans le secrétaire du docteur, ce qui la met dans une rage folle.

— Comment osez-vous m'épier ? Jamais je n'aurais cru ça de vous, Monsieur Moutarde.

Et encore moins de vous, Madame Leblanc !

Elle arrache de tes mains l'enveloppe portant son nom et la déchire en mille morceaux sous ton nez.

— Vous voilà bien avancés, à présent ! Grossiers personnages !

— Calmez-vous, Madame Pervenche, ordonnes-tu. Nous avons de bonnes raisons de croire que vous avez tué le docteur Lenoir. Et ce n'est pas en déchirant sa lettre que vous nous prouverez le contraire. Au contraire, si je puis dire.

Madame Pervenche secoue la tête de droite à gauche.

— Cette situation est grotesque ! lâche-t-elle. En tout cas, je n'éprouve aucune obligation à me justifier auprès de vous. En revanche, j'ajoute que si vous persistez dans vos accusations calomnieuses, vous aurez affaire à mes avocats à la première heure demain matin !

Madame Pervenche retourne au salon où elle n'ouvrira plus la bouche jusqu'à l'arrivée de la police.

En sport, on appelle ça une contre-attaque payante.

Ta partenaire a commis une erreur, certes, mais elle ne cherchait qu'à réparer la tienne :

celle d'avoir oublié la lettre au salon. Tu ne dois donc t'en prendre qu'à toi-même si tu as perdu.

Pour devenir un détective digne de ce nom, il va falloir revoir ta stratégie. Que se serait-il passé si tu avais fait d'autres choix ? Découvre-le tout de suite…

Mesdames Pervenche et Leblanc sont collées à toi, haletantes, tandis que tu sors le contenu du tiroir secret.

De la paperasse, rien que de la paperasse !

Vous vous partagez la pile et commencez à l'éplucher nerveusement. Et c'est toi qui trouves l'information. Le nom de l'associé est écrit en toutes lettres : il s'agit de… Monsieur Violet !

— Arrêtez de chercher, je l'ai ! déclares-tu.

Les deux femmes se précipitent et parcourent des yeux le document que tu tiens entre les mains.

— Monsieur Violet… murmure Madame Pervenche. Ça alors…

Elle a l'air complètement abasourdie.

Madame Leblanc paraît tout aussi déconfite.

Toi, tu penses déjà à la suite. Que faire à partir de cette information ? Tomberez-vous d'accord là-dessus ?

La réponse à cette question t'attend au 27.

Madame Leblanc tient dans sa main l'enveloppe déposée par Madame Pervenche dans le secrétaire du bureau. Le nom de cette dernière est écrit dessus.

Une légère angoisse vous noue la gorge. Cette lettre a peut-être un lien direct avec la mort du docteur Lenoir ? D'un autre côté, vous avez tous les deux reçu une bonne éducation et vous savez que lire une correspondance qui ne vous est pas adressée sans y être invité ne se fait pas.

Au diable, les bonnes manières ! Ton associée ouvre la lettre et lit à voix haute :

— « Ma chérie, nous n'aurons bientôt plus à nous cacher pour vivre notre amour pleinement. Faisons encore preuve d'un peu de patience et nos sentiments pourront s'exprimer librement face à la Terre entière. Je t'aime. »

Vous reconnaissez tous les deux la signature du docteur Lenoir.

Tu te félicites intérieurement d'avoir accepté l'aide de Madame Leblanc. Votre enquête avance à grands pas !

— On dirait que vous avez tapé dans le mille, lui confies-tu. Je n'aurais jamais pensé que

Miss Pète-sec avait une liaison avec ce bon vieux docteur... Comme quoi...

— Comme quoi, quoi ?

— Rien. En tout cas, l'implication de Madame Pervenche dans le meurtre du docteur me paraît évidente.

Madame Leblanc hoche la tête en signe d'approbation.

 Si tu penses que vous en savez assez pour accuser Madame Pervenche, va au 63.

S'il te paraît préférable de l'interroger avant de vous prononcer définitivement, va au 33.

81

Mademoiselle Rose te regarde sans te voir.

Monsieur Olive fixe l'objet que tu brandis et suit le mouvement de ta main. Il a l'air drôlement intéressé par ton petit manège. Tu le fixes à ton tour et attends sa réaction.

Tu t'approches un peu plus de lui en continuant ton tapotement provocateur sans le quitter des yeux. Au moment où tu devines qu'il s'apprête à ouvrir la bouche, tu te sens violemment projeté en avant. Déséquilibré, tu lui tombes dessus.

Pendant ce temps, tel l'éclair, Monsieur Violet a ouvert la fenêtre du salon et sauté dehors.

Tu te détaches comme tu peux de Monsieur Olive et te rues à la poursuite du fuyard. Tu passes à ton tour côté jardin mais tu te reçois mal. La neige a cessé de tomber et le froid a transformé la pelouse en véritable patinoire. Ton pied glisse en touchant le sol et tu te retrouves les fesses en l'air ! Le temps de retrouver des appuis stables, tu entends la Porsche de Monsieur Violet démarrer furieusement. Tu te tournes vers la fenêtre, vexé comme un pou : quatre têtes te dévisagent, dont celle de

Madame Leblanc qui pouffe de rire. Elle n'est visiblement pas mécontente de ton échec.

Tu as réussi à identifier l'assassin et à déterminer l'arme qu'il a utilisée, mais tu as fait preuve d'un excès de confiance en toi sur la fin, qui a ruiné tous vos efforts. La prochaine fois, sois plus constant et plus modeste !

En attendant, prépare-toi à recevoir un savon des policiers, dont les sirènes de voitures se mettent à hurler dans le quartier !

Il s'en est fallu de peu ! Tu aurais pu gagner…
en agissant différemment !
Tente à nouveau ta chance de faire
tes preuves en tant que détective.

— Vous plaisantez ! réplique Madame Leblanc. Ce n'est pas comme ça qu'il faut procéder. Je suggère plutôt que nous le fassions venir ici, nous serons plus tranquilles.

Tu n'aimes pas trop l'admettre, mais Madame Leblanc n'a pas tort : vous ne pouvez pas interroger l'un de vos suspects en présence des deux autres.

— Très bien, capitules-tu. Je reste avec vous pendant que Madame Pervenche va le chercher.

— Non, rectifie cette dernière. Je vous l'envoie mais je reste au salon pour garder un œil sur les autres suspects. On ne sait jamais...

Tu viens de te faire moucher deux fois de suite et préfères ne rien ajouter.

 Va au 69.

— Ôtez-moi d'un doute ! lances-tu à Madame Leblanc. Antoine, le majordome, était-il encore dans la villa lorsque le docteur s'est retiré ? Sans quoi, ça nous ferait un suspect de plus.

— Non, il était déjà parti.

— Il n'aurait pas pu faire diversion ? Je veux dire, peut-être qu'il est revenu discrètement commettre le crime, à votre insu à tous...

Ta partenaire est formelle :

— Non, je l'ai vu de mes yeux monter dans sa petite voiture jaune.

— Effectivement, en conviens-tu, elle n'était pas sur le parking lorsque je suis arrivé.

Te voilà rassuré, le majordome n'est pas dans le coup. Mais une autre pensée te traverse l'esprit.

— Cela signifie qu'Antoine n'est pas encore au courant que son employeur est mort.

— Vous avez raison ! s'écrie-t-elle. J'irai le prévenir avant de retourner au salon.

— En attendant, focalisons-nous sur notre enquête ! Avez-vous remarqué une différence de comportement parmi nos suspects, par rapport à leurs habitudes ?

Tandis que les bûches crépitent dans la cheminée, Madame Leblanc réfléchit un instant en se tournant vers une lampe afin d'offrir son meilleur profil. La lumière se reflète dans son chignon d'une si jolie façon que tu en as oublié ta question. C'est sa réponse qui va te la remettre à l'esprit.

— Pour tout vous dire, répond-elle, je trouve l'attitude de Madame Pervenche assez étrange ce soir. Elle est toujours un peu raide, ce n'est pas un secret, mais aujourd'hui elle me paraît carrément rigide. Et encore plus pète-sec que d'ordinaire !

Tu juges l'information intéressante. La piste est à creuser.

— Surveillons-la de près ! proposes-tu. Allez informer ce pauvre Antoine de la terrible nouvelle et retrouvons-nous au salon pour observer le comportement de Miss Pète-sec !

 Pour retourner au salon, va au 47.

84

— Vous en avez mis du temps à vous souvenir de ce détail ! reproches-tu à Madame Pervenche. Il est pourtant d'une importance capitale !

Tout de suite, elle se sent moins fière et son aplomb en prend un sérieux coup.

— Il n'y a donc plus que deux suspects possibles ! en déduis-tu.

— Oui, reprend votre ex-suspect numéro un. Monsieur Olive et Monsieur Violet.

Tu repenses à ta coéquipière, dans le salon en compagnie d'un tueur, et te dresses d'un bond.

— Madame Leblanc est en danger !

Tu sors en trombe de la salle à manger et te rues en direction du salon. Mais en traversant un couloir plongé dans une semi-obscurité, tu reçois un violent coup sur le côté !

Tu as reçu des tas de coups de toute sorte au cours de ta carrière de rugbyman : des cravates, des semelles, des coups de tête, de pied, de poing... Mais rien de comparable avec celui-là. Tu t'effondres en te tordant de douleur. Dans ton mouvement, tu aperçois une silhouette fuyant vers la sortie de la villa. Tu ne verras pas son visage.

Tu observes ton flanc et découvres avec frayeur une énorme tache rouge et poisseuse. Tu as reçu un coup de couteau sous les côtes flottantes.

Madame Leblanc devait surveiller Messieurs Olive et Violet ; on dirait bien qu'elle n'a pas fait son boulot. Mais à quoi bon la blâmer maintenant ?

La douleur est atroce et tes forces t'abandonnent à vitesse grand V.

Tu as juste le temps de te dire que c'est trop bête de mourir si jeune, simplement pour avoir voulu jouer les détectives, et en plus d'avoir perdu…

Dans une autre vie, fais des choix plus judicieux !

**Tu as perdu ! Pourtant il ne te manquait pas grand-chose pour résoudre cette enquête… Des choix plus judicieux peut-être ?
Retente ta chance d'arrêter le meurtrier !**

85

— Il faut que je vous parle immédiatement, dis-tu à ces dames sur le ton de la confidence. Mais pas ici. J'ai quelque chose de très important à vous révéler. Suivez-moi discrètement jusqu'à l'observatoire !

Quelques secondes plus tard, vous êtes à nouveau réunis et trois paires d'yeux féminins te somment de t'expliquer.

— C'est Monsieur Violet qui a tué le docteur ! lâches-tu, fier de toi.

Bien sûr, tu ne t'arrêtes pas là et racontes comment tu en es arrivé à cette certitude. Madame Leblanc a l'air épatée par la manière dont tu as mené ton enquête.

— Bravo, Monsieur Moutarde ! Joli travail ! Vous devriez penser à une reconversion...

Madame Pervenche, elle, est totalement abattue. La mort de son amoureux est encore plus cruelle maintenant qu'elle sait qui en est le responsable. Mademoiselle Rose, quant à elle, ne paraît pas très étonnée.

— Quand j'ai découvert ce document qui attestait de l'association de Monsieur Violet et du docteur, je me suis tout de suite dit qu'il était probablement l'assassin.

Mais vous n'avez pas le temps de commenter

l'affaire pendant des heures. Il faut vite prendre une décision sur la marche à suivre.

— Je propose qu'on retourne au salon et qu'on lui dise qu'on sait tout, suggères-tu. Et s'il tente de fuir, on l'en empêche.

Pas d'objection.

 Fonce au 37.

86

De retour au salon, vous vous arrangez, Madame Leblanc et toi, pour vous isoler avec Monsieur Olive. Mademoiselle Rose a toujours ses écouteurs sur les oreilles et Madame Pervenche détourne l'attention de Monsieur Violet en entamant une discussion avec lui.

Madame Leblanc commence par glisser à Monsieur Olive quelques commentaires de circonstance. Toi, tu fais semblant de lire un journal mais ton attention est en réalité portée sur le duo.

Puis elle entre dans le vif du sujet :

— Saviez-vous que le docteur avait créé une société qui est en plein développement ?

Monsieur Olive ne paraît pas du tout surpris.

— Il a toujours réussi tout ce qu'il entreprenait. Si je devais le résumer en un mot, je dirais que c'était un gagnant. Il va beaucoup nous manquer.

— Oui, rebondit Madame Leblanc, songeuse. Ce que je ne m'explique pas, c'est pourquoi assassiner quelqu'un comme lui ? Quel avantage peut-on en tirer ?... D'autant plus que cet homme n'a jamais fait de mal à personne...

— Peut-être que son succès dérangeait. Qu'il

suscitait la jalousie. Il y a tellement de gens malveillants...

— Vous en voyez dans cette pièce ?

Monsieur Olive ne répond pas. Mais peut-être s'agit-il de délicatesse de sa part.

En tout cas, tu le trouves parfaitement serein. Madame Leblanc est partie d'un mensonge que seul le coupable aurait pu déceler et à aucun moment il n'a paru déstabilisé.

Selon toi, il n'est pas l'assassin que vous recherchez. Et c'est aussi le sentiment de ta coéquipière puisqu'elle semble bientôt vouloir abandonner la partie. Elle pose encore deux ou trois questions auxquelles Monsieur Olive répond sans ambiguïté.

Tu décides de quitter la pièce et adresses un clin d'œil à Madame Leblanc en te levant.

 Va au 46.

87

Cette fois, tu vas jouer un rôle discret et laisser ta partenaire faire la part belle à la psychologie féminine.

Tous les trois, vous êtes assis devant des assiettes vides. Madame Pervenche vous observe tour à tour d'un air inquiet : elle se demande ce que vous allez lui annoncer.

Madame Leblanc sort alors de son sac à main la lettre du docteur Lenoir et la pose délicatement sur la table.

Aussitôt, Madame Pervenche pâlit. Elle baisse les yeux. Son assurance fond à vue d'œil et personne ne songerait plus à l'appeler Madame Pète-sec.

— Qu'y a-t-il ? demande Madame Leblanc avec compassion.

— Nous devions nous marier, murmure Madame Pervenche. Je vous jure que notre histoire n'a rien à voir avec ce qui s'est produit ce soir. J'aimais le docteur autant qu'il m'aimait et je n'avais aucune raison de vouloir sa disparition !

Des larmes coulent le long de ses joues.

Si la suspecte était Madame Leblanc, tu te méfierais. Tu te dirais qu'elle joue peut-être la comédie. Mais tu es persuadé que Madame Pervenche est sincère.

D'une certaine façon, ça ne t'arrange pas, car si Madame Pervenche est innocente, vous voilà revenus à la case départ. Sauf que cette fausse piste vous a permis de l'éliminer en tant que suspect. Il n'en reste donc plus que trois : Mademoiselle Rose et Messieurs Olive et Violet. Sans compter que Madame Pervenche peut dorénavant vous aider dans votre enquête.

On dirait que Madame Leblanc pense comme toi : elle est en train de la mettre en confiance. Elle lui murmure des paroles réconfortantes en la serrant dans ses bras. Tu prends un air de circonstance, affligé mais digne.

Puis les deux femmes recommencent à parler. Madame Pervenche a besoin d'exprimer sa peine et elle trouve en Madame Leblanc l'oreille idéale.

Il va bien finir par ressortir de cette conversation anodine un détail qui pourrait avoir son importance...

 Rends-toi au 67.

88

Tu retournes au salon avec l'intention d'interroger séparément les deux suspects restants : Messieurs Olive et Violet. Mais, grâce à un heureux hasard, ce dernier te facilite la tâche en quittant le groupe au moment où tu t'apprêtais à ouvrir la porte du salon.

Tu profites de l'aubaine pour improviser dans le couloir :

— La police n'est toujours pas arrivée ? lui demandes-tu. Je me suis perdu dans la villa : c'est un vrai labyrinthe...

— Non, toujours pas.

— Mon téléphone n'a plus de batterie, vous pouvez me prêter le vôtre pour que je les rappelle ? J'ai l'impression qu'ils nous ont oubliés...

Monsieur Violet te regarde d'un air bizarre, comme si ta question l'embarrassait.

— Euh... malheureusement, je ne capte plus depuis un moment, bredouille-t-il. Ça tombe mal, vraiment...

— Vous pouvez le dire ! répliques-tu.

Monsieur Violet te laisse pour prendre la direction des toilettes.

De deux choses l'une : soit il dit la vérité, auquel cas il est innocent, puisque tu as vu et surtout entendu le suspect téléphoner il y a quelques minutes seulement dans le passage secret ; soit il ment, et il y a alors tout lieu de penser qu'il est coupable.

 Si tu penses que Monsieur Violet t'a dit la vérité, va au 61.

Si, au contraire, tu as le sentiment qu'il t'a menti, va au 29.

89

Tu aimerais bien jouer les héros.

Tu donnerais même cher pour entrer par effraction dans cette pièce sans laisser de traces et y fureter ni vu ni connu. Mais en es-tu capable ? Ne risques-tu pas de massacrer la serrure et du même coup d'attirer les soupçons sur toi ?

Et, surtout, en as-tu le courage ? Il y a un cadavre là derrière. Es-tu prêt à poser tes yeux sur lui ? As-tu assez de cran pour le toucher ? Peut-être seras-tu amené à faire ce genre de choses…

Toutes ces questions te font froid dans le dos. Tu as sans doute surestimé ta témérité. Tu t'es imposé de mener cette enquête tout seul, comme un défi que tu te serais lancé, mais le jeu en vaut-il vraiment la chandelle ?

Tout bien réfléchi, tu préfères renoncer et attendre sagement l'arrivée de la police. Tu décides de retourner au salon et d'ouvrir l'œil, car tu tiens à ta vie. Si tu parviens à sortir vivant de cette maison, tu n'auras pas tout perdu.

FIN

Tous ces efforts pour en arriver là ?
N'est pas héros qui veut ! Fais des choix,
moins audacieux peut-être, et retente ta chance
si tu tiens à être pris au sérieux !

90

De retour au salon, tu adresses un clin d'œil à Madame Leblanc pour lui signifier que tout s'est déroulé comme prévu.

Comme il fallait t'y attendre, elle tire la couverture à elle en prenant l'initiative des révélations sans te consulter, ce qui t'agace considérablement. C'est son éternel besoin de gloire.

— Mes amis, j'ai quelque chose à vous dire, déclare-t-elle.

Messieurs Olive et Violet, ainsi que Mademoiselle Rose, se tournent vers ton associée qui se redresse légèrement sur son siège pour être certaine que sa voix porte suffisamment. Puis elle ajuste de la main l'encolure de son gilet blanc. Tout est en ordre.

— Avec l'aide de Monsieur Moutarde, se lance-t-elle, nous avons découvert l'identité de l'assassin de notre hôte.

Son auditoire redouble soudain d'attention.

— Il s'agit de Madame Pervenche !

Un brouhaha de stupéfaction s'élève.

— J'ai découvert cette lettre, continue-t-elle en la brandissant, qui atteste qu'elle entretenait une relation avec le docteur. Il s'agit donc d'un drame passionnel. La justice déterminera quelles étaient ses réelles motivations.

Comme tu te sens un peu tenu à l'écart de ces révélations, tu prends la parole pour préciser :

— Madame Pervenche n'a pas nié les faits. Je l'ai enfermée dans la salle de projection en attendant l'arrivée de la police.

Les nouveaux informés sont sous le choc. Ils digèrent lentement le scoop que vous leur avez offert. Puis les commentaires arrivent par vagues.

— Je l'ai sentie très nerveuse au cours de notre partie d'échecs, analyse Monsieur Olive. Je comprends mieux pourquoi, maintenant.

— On lui aurait donné le bon Dieu sans confession, ajoute Monsieur Violet. Comme quoi... il faut se méfier de l'eau qui dort !

— Je l'ai jamais aimée, cette pimbêche ! avoue Mademoiselle Rose. Je me suis toujours doutée que c'était une mauvaise personne. En tout cas, avec Lenoir, elle a bien caché son jeu.

Ta partenaire récupère alors la main.

— Mes amis, je pense qu'il est inutile à présent que nous perdions tous notre soirée à attendre la police. Les choses ayant fortement évolué depuis notre appel, ils ne verront pas d'objection à ce que certains d'entre nous soient rentrés chez eux quand ils arriveront pour boucler Madame Pervenche. J'en prends la responsabilité.

— Comme nous sommes à l'initiative de cette enquête, Madame Leblanc et moi, enchaînes-tu, je propose que nous restions tous les deux.

— Parfait ! s'exclame Mademoiselle Rose en se levant d'un bond. Je meurs de faim, moi. Ces émotions m'ont creusé l'estomac !

Messieurs Olive et Violet s'interrogent du regard.

— On y va aussi ? demande Monsieur Olive.

— Puisque notre présence n'est plus nécessaire… accepte Monsieur Violet.

Quelques minutes plus tard, vous voilà seuls, Madame Leblanc et toi.

Allez-vous attendre encore longtemps l'arrivée de la police ?

 La réponse t'attend au 28.

91

Vous revoilà tous réunis au salon.

L'attente a été pénible pour tout le monde. La police vient de rappeler pour dire que les conditions météo s'arrangeaient et qu'une équipe arriverait bientôt.

— C'est pas trop tôt, lâches-tu d'un ton faussement enthousiaste. Nous allons enfin pouvoir rentrer chez nous.

Quelques-uns t'approuvent d'un hochement de tête.

— N'est-ce pas, Monsieur Violet ? l'interpelles-tu.

Il te lance un regard étonné.

— On ne vous a pas beaucoup entendu ce soir, poursuis-tu. Que pensez-vous de ce qui s'est passé ?

— Que voulez-vous dire ?

— Je veux dire que vous n'êtes pas très bavard. Que pensez-vous de ce crime ? On aimerait bien savoir si vous avez une idée ou un pressentiment au sujet de son auteur...

— Qui ça, « on » ?

— Eh bien, moi déjà, et puis d'autres personnes présentes...

Cette conversation ne semble pas beaucoup lui plaire.

— Je n'ai rien à dire.

— C'est étrange, car tout le monde ici, ou presque, a une idée ou aimerait bien en avoir une. Pas vous ?

— Ceci est du ressort de la police, répond-il. Laissons-la faire son travail.

— Tenez ! Moi, par exemple ! reprends-tu. Je parierais gros sur vous. J'ai la conviction, et elle s'appuie sur un certain nombre d'éléments, que c'est vous qui avez tué le docteur.

Il te regarde intensément, puis détourne la tête. Sans un mot.

— Comment, Monsieur Violet ? Je vous accuse publiquement et vous ne répondez pas ?

Mademoiselle Rose et Monsieur Olive t'adressent des regards interrogateurs.

Monsieur Violet, lui, continue à ignorer tes provocations.

Tu réalises qu'il te faut changer de stratégie. Oui, mais laquelle adopter ? Tu peux lui dire tout ce que tu sais et attendre sa réaction. Ou bien l'interroger sur sa relation avec le docteur...

Si tu décides d'interroger Monsieur Violet à propos de sa relation avec le docteur, va au 51.

Si tu choisis de le confronter à vos déductions, va au 21.

Tu prétends vouloir t'entretenir en privé avec Madame Leblanc.

— Très bien, réplique Madame Pervenche. Je vous attends dans le bureau.

Une fois seul avec ta coéquipière, tu lui fais part de ta réserve et de tes craintes. Les déclarations de Madame Pervenche ne t'ont pas totalement convaincu et tu te demandes si elle ne joue pas un double jeu.

— J'ai l'impression qu'elle essaie de nous endormir tout en préparant un mauvais coup !

— Monsieur Moutarde, vous êtes comme tous les hommes, vous ne comprenez rien à la psychologie féminine !

— Et vous, vous lisez trop la presse féminine !

— Écoutez ! Vous m'avez fait confiance en me laissant l'interroger seule ? Ça a parfaitement fonctionné. Alors continuez à me faire confiance !

Tu n'objectes rien car elle a raison. Vous allez donc rejoindre Madame Pervenche au bureau.

Va au 65.

Vous entrez tous les trois dans le salon.

Mademoiselle Rose, qui était en pleine discussion avec Monsieur Olive, vous apostrophe.

— Où étiez-vous ? On commençait à s'inquiéter.

— Dans l'observatoire du docteur, réponds-tu posément.

— J'en ai marre d'attendre, reprend la jeune femme. Quelqu'un pourrait rappeler la police ? Si ça se trouve, ils nous ont oubliés.

— Ils ont bien insisté sur le fait qu'ils ne seraient pas là tout de suite, répond Madame Pervenche. Nous devons prendre notre mal en patience... Ne serait-ce que par respect pour celui dont le sort est beaucoup moins enviable que le nôtre.

— Vous voulez parler du docteur Lenoir ? demande Mademoiselle Rose.

— Bravo pour votre sens de la déduction !

Pendant qu'elles s'envoient des amabilités à la figure, tu sors l'étui en argent de ta poche et te mets à tapoter la paume de ton autre main avec. Soudain tu déambules à travers la pièce tout en guettant les réactions des uns et des autres...

 Fonce au 81.

Tu t'approches un peu plus de l'homme qui parle au téléphone. La faible lueur qui provient de l'écran te permet de remarquer que le couloir s'élargit, il y a comme un décrochement dans le mur, et tu aperçois une silhouette, à côté d'une porte ouverte. Tu ne distingues rien de plus. Tu devines juste que l'assassin est de dos.

Tu évalues à environ quatre mètres la distance qui vous sépare. Tu t'apprêtes à lui foncer dessus quand il raccroche et franchit la porte sur sa droite. Bien décidé à ne pas le laisser filer, tu lui emboîtes le pas et t'aventures encore un peu plus dans l'obscurité. À peine as-tu fait quelques mètres que tu es vigoureusement projeté au sol.

Une seconde plus tard, la porte se referme dans un bruit sourd et tu entends une clé actionner la serrure. Te voilà enfermé dans une cave !

Paniqué, tu te relèves. Tu retrouves à tâtons la porte ; elle est bien verrouillée. Tu tapes dessus de toutes tes forces.

— Ouvrez-moi ! t'écries-tu. Au secours !

En vain.

À l'aide de tes mains, tu cherches l'interrupteur mural. Tu le trouves et appuies dessus : la lumière t'éblouit.

Un tour d'horizon te fait vite comprendre qu'il n'y a pas d'autre issue. Tu es coincé dans un trou à rat.

L'assassin a été plus malin que toi : il t'a entendu approcher et t'a tendu un piège. Tu as foncé dedans, tête baissée.

Tu n'as découvert ni son nom ni l'arme qu'il a utilisée. Tu as bel et bien perdu : le temps que tu trouves un moyen de sortir de là, le meurtrier se sera envolé, sans aucun doute.

La prochaine fois que l'envie d'enquêter
te prend, emporte un passe-partout,
ça sert toujours !
Il existe certainement
un moyen de démasquer le coupable
sans te jeter dans la gueule du loup.
Et si tu essayais de le découvrir ?

95

Vous êtes à nouveau tous réunis dans le salon.

Madame Leblanc et toi avez pris place à côté de Madame Pervenche. Comme vous l'avez décidé ensemble, tu laisses ta coéquipière parler.

— Madame Pervenche, commence-t-elle, ne vous méprenez pas sur mes pensées, mais je me pose une question liée à l'assassinat du docteur depuis tout à l'heure. Pourquoi est-ce que vous...

— Qu'est-ce que ça veut dire ? la coupe Madame Pervenche, furieuse. Vous me soupçonnez de meurtre ? Qui vous autorise à me poser des questions ?

Toutes les personnes présentes ont désormais les yeux rivés sur les deux femmes. Madame Pervenche est rouge de colère.

Madame Leblanc a du mal à enchaîner, elle ne s'attendait pas à cette réaction. Tu décides de prendre le relais :

— Votre attitude ne plaide pas en votre faveur, Madame Pervenche. Pourquoi ne vous expliquez-vous pas tranquillement ? Pourquoi avez-vous quitté cette pièce peu avant le docteur Lenoir ?

Madame Pervenche paraît trop choquée pour te répondre. En revanche, Monsieur Olive a quelque chose à dire.

— Dites-moi, Monsieur Moutarde, comment savez-vous que Madame Pervenche s'est absentée à ce moment précis puisque vous n'étiez pas encore arrivé ?

Bam !

Ça te fait l'effet d'un crochet du droit en pleine pommette !

Mademoiselle Rose retire ses écouteurs et s'exclame :

— Mais qu'est-ce qui se passe encore ?

Monsieur Violet est le premier à comprendre votre petit accord.

— Les choses sont simples, déclare-t-il en rangeant son téléphone dans sa poche. Madame Leblanc l'en a informé. Ce qui laisse entendre qu'ils se sont ligués pour enquêter sur nous comme s'ils avaient été officiellement investis d'une mission.

Tous les regards sont braqués sur vous deux. D'accusateurs, vous voilà devenus accusés !

Tu échanges un regard avec Madame Leblanc : votre association tourne au fiasco. Vous n'avez aucune parade.

— C'est honteux ! lance Madame Pervenche

qui retrouve l'usage de la parole. Votre attitude est inqualifiable !

Inutile de chercher à vous défendre. Vous voilà démasqués ! Plus personne ne vous adressera la parole de la soirée. Votre enquête s'arrête là.

Tu n'as pas été un détective très brillant…
Mais que se serait-il passé si tu avais fait
d'autres choix ?

— Allons vite le chercher avant que l'idée de fuir ne lui vienne ! suggère Madame Leblanc.

Le temps de traverser la maison et vous revoilà tous réunis dans le salon.

Monsieur Olive reste debout devant la porte et tu te places près de la fenêtre, pour éviter au coupable de fuir.

Madame Pervenche a rouvert les yeux et Mademoiselle Rose a retiré ses écouteurs, sentant que quelque chose se tramait.

— Qu'est-ce qui se passe ? demande-t-elle.

Madame Leblanc est tentée de répondre mais tu ne lui en laisses pas le temps. C'est ton enquête, après tout !

— Il se passe qu'après une minutieuse enquête, il n'y a qu'un seul coupable possible parmi nous. Et il s'agit de Monsieur Violet !

 Va au 55.

Tu prends ton temps avant de remonter. Mine de rien, la vision de ce poignard couvert de sang t'a remué. Tu n'es pourtant pas une mauviette et tu en as vu, des blessures, sur les terrains de rugby. Mais c'était pour la beauté du sport ! Là, il s'agit du sang d'un cadavre… et pas n'importe lequel !

Les amies du docteur se sont regroupées dans un coin du salon pour échanger des souvenirs. Tu ignores Messieurs Olive et Violet pour te joindre à elles.

— Vous vous souvenez de ce pique-nique en forêt ? demande Madame Leblanc aux deux autres. Le docteur avait fait préparer à manger et à boire pour cent personnes au moins !

Madame Pervenche essuie une larme.

— Un soir, il m'a invitée à l'Opéra, ajoute Mademoiselle Rose. Il connaissait tout le monde parmi les VIP et m'a très gentiment présentée à un tas de gens importants comme étant sa meilleure amie…

Elles sont tristes, toutes les trois. Ce moment est important pour elles. Est-ce que tu peux décemment interrompre cette conversation ?

Si tu es assez rustre pour le faire, va au 70.

Si tes bonnes manières te l'interdisent, rends-toi au 45.

98

Ton père a coutume de dire : « L'union fait la force et l'oignon fait la sauce. » Avec un peu de moutarde, elle n'en sera que meilleure !

En tout cas, vous êtes tous les trois archidéterminés à tout faire pour dénicher un document livrant le nom de l'associé du docteur Lenoir. Madame Pervenche veut absolument identifier l'assassin de son compagnon ; Madame Leblanc, comme à son habitude, cherche à briller ; quant à toi, tu t'es promis quelque chose et ton honneur est en jeu !

Vous vous mettez au travail et commencez à retourner le bureau. Il n'aura bientôt plus aucun secret pour vous tant votre ardeur à fouiner est remarquable. Vous vous êtes réparti les tâches et fouillez chaque tiroir, casier, dossier suspendu... tout cela dispersé dans divers meubles : secrétaire, bureau, étagères, armoire métallique...

À trois, les choses vont vite. Et c'est Madame Leblanc qui est à l'origine de la première trouvaille digne d'intérêt.

— Une clé ! s'exclame-t-elle tout à coup. Elle doit servir à ouvrir une cachette contenant des documents confidentiels.

Quelques minutes plus tard, Madame Pervenche transforme l'essai :

— Regardez ! Il y a un tiroir secret au fond de ce meuble.

Tu t'approches avec la clé.

— Peut-être que...

Tu glisses la pointe de la clé dans la serrure et... eurêka : le tiroir s'ouvre !

 Pour savoir ce qu'il y a dedans, va au 79.

Madame Leblanc et toi regagnez tranquillement le salon et attendez le retour de Madame Pervenche.

Personne ne semble avoir remarqué votre petit manège.

Tu engages une conversation informelle avec Monsieur Violet, et ta coéquipière fait de même avec Mademoiselle Rose qui retire poliment ses écouteurs.

Dans son coin, Monsieur Olive semble trouver le temps long et propose une partie de cartes à la cantonade, mais personne ne semble motivé.

Lorsque Miss Pète-sec vous rejoint, il lui tombe dessus.

— Voulez-vous faire une partie d'échecs avec moi, Madame Pervenche ? Cette attente est terriblement ennuyeuse !

— Pourquoi pas ? répond-elle.

« Parfait ! te réjouis-tu. Le champ sera libre pour aller découvrir ce qu'elle a caché dans le secrétaire. »

À la première occasion, Madame Leblanc et toi filez au bureau. L'un derrière l'autre, cela va sans dire : on n'est jamais trop prudent.

Pour aller au bureau, va au 80.

Tes entraîneurs de rugby t'ont souvent répété qu'il fallait te méfier des joueurs en retrait sur le terrain. C'est généralement une ruse pour se faire oublier et pouvoir mieux lancer une contre-attaque assassine.

Monsieur Olive ne fait aucune vague ce soir. Il est transparent.

En vous penchant sur son cas, Mesdames Pervenche et Leblanc et toi, vous vous demandez même pourquoi cet élément ne vous a pas sauté aux yeux plus tôt.

— L'important, c'est que nos opinions convergent et que nous soyons tous d'accord pour placer Monsieur Olive au premier rang des suspects, annonces-tu.

— Je l'ai toujours trouvé sournois, ajoute Madame Pervenche.

— Il ne m'a pas regardée une seule fois dans les yeux ce soir, renchérit Madame Leblanc.

— Allons l'interroger ! décides-tu.

Rends-toi au 82.

À tort ou à raison, tu penses qu'une femme saura mieux mettre en confiance une autre femme et la faire parler.

Tu laisses donc Madame Leblanc engager son tête-à-tête avec Madame Pervenche dans la salle à manger.

Tu patientes dans le salon, un peu fébrilement, tu dois le reconnaître.

Monsieur Olive tente de t'embarquer dans une discussion sur les dernières soirées de la jet-set mais, outre le fait que tu t'en moques, tu n'as pas la tête à te concentrer sur autre chose que sur ce qui doit se dire dans la salle à manger. Tu prétextes une migraine pour qu'il te laisse tranquille.

Les minutes s'écoulent et ta partenaire ne revient toujours pas. Pas plus que Madame Pervenche.

Mademoiselle Rose s'est assoupie sur un canapé, ses écouteurs plaqués sur les oreilles. Quant à Monsieur Violet, il s'est replongé dans un jeu sur son téléphone.

Tu ne tiens plus en place et décides d'aller voir ce qui se passe dans la salle à manger.

 Va au 59.

Tu auras fait la moitié du chemin lorsque tu auras découvert l'arme du crime. Et qui sait : peut-être te révélera-t-elle des informations sur celui ou celle qui l'a utilisée ?

Parce que tu es convaincu qu'il te faut la retrouver, tu te lances dans une recherche effrénée à travers toute la villa.

Tu procèdes par ordre. Tu commences par la salle à manger. Tu fouilles les buffets, consoles et autres meubles s'y trouvant. En vain. En dehors d'une carafe à vin qui aurait pu servir pour, au mieux, assommer un poulet, tu ne vois rien qui aurait permis de tuer le docteur.

Tu passes au spa. Il est certainement facile de pousser quelqu'un dans un jacuzzi par surprise et de lui maintenir la tête sous l'eau. Mais le docteur a été découvert avec du sang sur lui et personne n'a mentionné que ses vêtements étaient mouillés.

Tu écartes donc cette hypothèse et pénètres dans la salle où se trouve la piscine couverte. Tu remarques la présence d'une corde mais tu sais qu'une mort par strangulation ne fait pas couler plus d'hémoglobine que par noyade.

Tu enchaînes avec l'observatoire et quelque chose te dit que ta persévérance ne va pas tarder à être récompensée.

Tu ouvres une première armoire. C'est le choc ! Toute une collection d'armes blanches s'offre à ton regard. Il y a de tout : des machettes, des épées, des poignards... Certaines ont l'air très anciennes et sont sans doute d'une grande valeur. Tes yeux se posent sur les différentes pièces quand, tout à coup, un étui vide attire ton attention. Le docteur n'aurait pas exposé un fourreau en argent sans l'arme qu'il devrait contenir. C'est évident : l'assassin s'en est emparé pour commettre son crime ! Pour toi, ça ne fait pas l'ombre d'un doute.

Tu as découvert la moitié de l'arme. Tes recherches doivent se concentrer sur un poignard dont la lame mesure environ quinze centimètres et dont le manche s'harmonise à coup sûr avec l'étui que tu étudies sous toutes ses coutures.

Tu essaies alors de te glisser dans la peau du meurtrier. Qu'aurais-tu fait, toi, après avoir utilisé ce poignard pour tuer le docteur Lenoir ?

Si tu penses que tu aurais paniqué et que tu te serais débarrassé de l'arme aussi vite que possible, va au 56.

Si tu penses que tu aurais pris le temps de lui trouver une cachette plus sûre, va au 13.

JOUER AU DÉTECTIVE T'A PLU ?
LA PROCHAINE FOIS, GLISSE-TOI DANS
LA PEAU DE MADEMOISELLE ROSE
POUR ÉLUCIDER UN NOUVEAU MYSTÈRE !

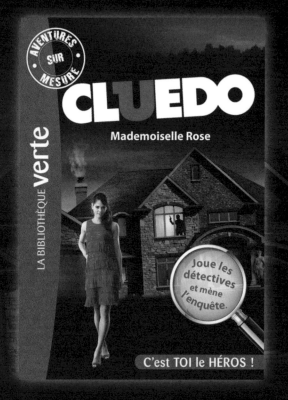

RETROUVE D'AUTRES AVENTURES SUR MESURE DANS LA BIBLIOTHÈQUE VERTE !

À la conquête du trésor

Les mystères du Fort

Tu as toujours rêvé de participer
à Fort Boyard ? N'attends plus !
Viens mesurer ta force et ton courage dans les célèbres
épreuves du Fort et tente de décrocher les clés qui
t'ouvriront la salle du Trésor.
Pour remporter les boyards, tu devras résoudre des énigmes...
et faire les bons choix. Tu es prêt ?

À toi de jouer !

La voie du Jedi

La bataille de Teth

Tu as toujours rêvé d'être un Jedi ?
C'est possible ! Vis des aventures extraordinaires
dans l'univers de Star Wars – The Clone Wars.

Mission spéciale

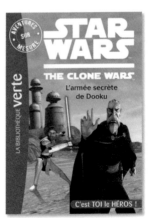

**L'armée secrète
de Dooku**

ET AUSSI...

Le choix de Dastan

Une invasion se prépare.
Elle va changer le cours de
l'Histoire... et de ta vie.
Le destin du monde est
entre tes mains.
Choisiras-tu de le sauver
ou de le détruire ?

C'est à toi de décider !

Le destin de Tamina

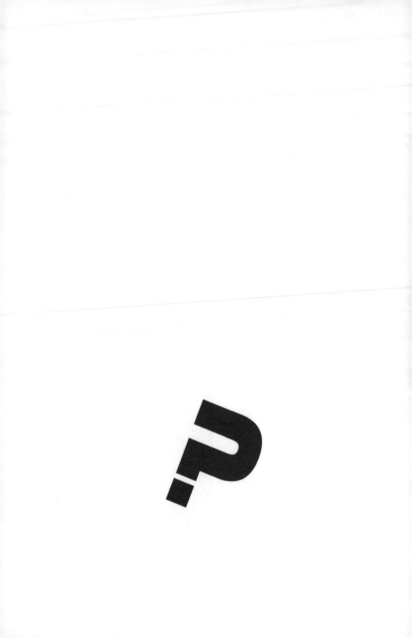

Pars à l'aventure avec Koh-Lanta !
Réussiras-tu à te dépasser
dans les épreuves ?
À former les bonnes alliances ?
Feras-tu les bons
choix pour parvenir jusqu'aux
poteaux ?
C'est à toi de jouer !

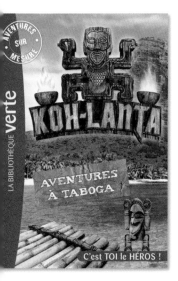

Tu es prêt ?
À toi de jouer !

POUR DÉCOUVRIR TOUS
LES TITRES DE LA COLLECTION
« AVENTURES SUR MESURE »
ET BIEN D'AUTRES ENCORE,
FONCE SUR LE SITE :
WWW.BIBLIOTHEQUE-VERTE.COM

Photogravure **Nord compo** – Villeneuve d'Ascq

Imprimé en Roumanie par G. Canale & C. S.A.
Dépôt légal : octobre 2012
Achevé d'imprimer : octobre 2012
20.3049.2/01 ISBN : 978-2-01-203049-7
Loi n° 49956 du 16 juillet 1949
sur les publications destinées à la jeunesse